절벽에 뜬 달

上

절벽에 뜬 달

현민예 지음

上

R&Moon

차
례

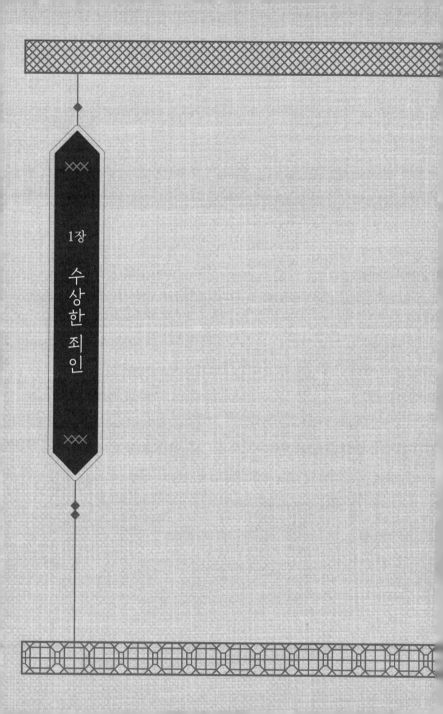

1장

수상한 죄인

나는 그의
외로움과 서러움의 내용을 모른다.
요사이 보름간,
술에 취해 비틀거리는 그의 그림자를
계속해서 보았을 뿐이다.

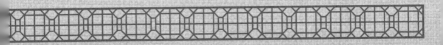

나는 스무 해 전 이 섬에서 태어났다.

어미는 동생을 사산하고 죽었고, 아비는 젊은 나이부터 매병이 와서 사람 구실을 못 한다. 매병에 걸리면 사지는 멀쩡한데 기억이 없어지고 사리분별이 안 되는 아기로 돌아가버린다. 이런 아비에게도 나라님이 주는 의무는 한가득하여서, 올해도 아비 앞으로 역役이 내려왔다. 역은 나라에서 시키는 잡다한 일들이었는데 별다른 대가 없이 주어진 일을 해야만 하는 성가신 것이었다. 있는 집은 더러는 값을 치르고 역을 피하기도 했지만, 우리 집은 젓가락 하나 꽂을 땅도 없는 빈농이었다. 그렇다고 병신이나 다름없는 아비를 내보낼 수도 없었다. 그래서 내가 아비 대신 역을 가야 했다. 이 작은 섬에 사또라는 놈들도 다 한심하기 그지없어서 내가 계집의 몸으로 역을 지든 말든 그런 사소한 것들은 아무래도 좋은 모양이었다.

나의 일은 한 남자를 감시하는 것이다. 언제까지 해야 하는지는 듣지 못했다. 농번기가 되기 전에 이 역에서 해방되기를 바랄 뿐이다.

남자는 추수가 다 끝난 가을에 우리 섬에 도착했다. 나는 치수가 큰 군졸 옷을 입고 무거운 창을 든 채, 남자가 유폐될 초가 앞에 서 있었다. 남자는 오랏줄도 없이 제 발로 왔다. 죄인답지 않게 상투도 반듯했고 턱수염도 짧고 단정했다.

그는 여름까지만 해도 이 나라의 나라님이었다고 한다. 소문에 따르면, 한성에서 무슨 시끄러운 일이 난 뒤로 새 임금이 자리에 오르고, 이 사내는 폐위가 되었단다. 우리 같은 상놈들이야 한성에서 무슨 연유로 왕이 바뀌었는지 알지도 못했다. 그저 무언가 그만큼 나쁜 짓을 했을 것이라 시답잖은 추측들을 쑥덕대는 게 다였다. 상놈들의 소문이라는 것은, 처음 시작은 무던해도 점차 온갖 놈들의 더러운 상상이 덧붙어 마지막에는 해괴망측한 이야기가 되기 마련이다. 우리 마을의 사내들은 왕이 친모와 간음했다고 말했다. 그것도 모자라 남색을 하고 수백 명의 처녀를 겁탈하기까지 했단다.

그런 소문들을 믿는 것은 아니었지만, 나도 한편으로는 그 남자가 아주 무시무시한 놈일 거라 은연중에 생각했었나 보다. 그래서 처음 그를 보았을 때 놀랐다. 적어도 허우대는 멀쩡해 보였던 것이다. 궁 안에서만 산 사람이어서인지, 스물너덧 먹은 동네 오라비들보다도 어려 보였다.

그를 데려온 군졸들은 모두 마을로 돌아갔다. 이제 남자를 감시하는 일은 오롯이 나의 몫이 되었다.

남자는 이 섬에 유배당했다. 그의 공간은 초가삼간과 그 앞의 작은 마당이 전부다. 나는 그가 이곳을 나가지 못하도록 단단히 감시해야 했다. 만약 그가 도망간다면 나는 관아에 끌려가서 맞아 죽을 것이다.

첫날 남자는 방에 틀어박혀 나오지를 않았다. 나는 자물쇠가 걸린 문 앞에 서서 내내 보초를 섰다. 갈매기 몇이 바다 위를 나는 풍경이 보였다.

초가집은 마을에서 십 리나 떨어진 절벽 위에 외따로 있었다. 몇 해 전까지는 사람이 살던 집이었는데, 범이 일가를 죄다 물어 간 후에는 그대로 폐가가 되었다. 요 앞으로는 절벽 아래 바다이고, 뒤편으로는 숲과 울창한 산이니 어디 도망가려야 갈 수도 없는 위치였다. 그래서인지 해 질 녘 내가 돌아가고 나면 밤에는 아무도 보초를 서지 않는다고 했다.

혼자 있다 범이라도 나타나면 위험하겠지만, 아무래도 고을 수령은 이제 나라님이 아니게 된 저 남자가 얼른 범에라도 물려 가길 바라는 것 같았다.

이튿날 남자가 담장 앞으로 와 내게 말을 걸었다. 쥐 새끼 한 마리 없는데 사람은 나뿐이니 말을 걸어보고 싶을 만도 했다.

가시 울타리가 쳐진 담장은 그리 높지 않아, 서로 얼굴을 보고 대화할 수 있었다. 하지만 나는 일부러 등을 돌리고 저 먼 절벽만 응시했다.

"아가. 너 왜 여기 있니?"

남자의 목소리는 나긋나긋했다. 사내다운 이목구비와 짧은 턱수염, 움푹 파여 그늘진 눈동자와는 어울리지 않는 미성이었다.

"무슨 말씀입니까? 저는 제 할 일을 하는 건데요."

"계집아이가 왜 여기서 군역을 서냐는 말이야."

"제 아비가 병신이라 대신 서는 겁니다. 안 서면 맞아 죽으니까요."

"그럼 여기는 너 혼자 지키니?"

혹여나 남자가 나를 만만히 여기고 도망칠까 덜컥 겁이 났다. 나는 창을 단단히 쥐었다. 물론 휘두를 줄은 모르지만 말이다. 까짓거 길쭉한 호미랑 비슷한 것 아니겠는가.

"왜요? 도망가시렵니까?"

내 말에 남자가 허탈한 웃음을 터트렸다.

"그게 아니다. 여기는 사방이 바다인데, 내가 여길 벗어나 봤자 무슨 재주로 이 섬을 빠져나가겠느냐?"

남자의 말은 옳았다. 절벽 너머로 새파란 바다가 넘실대고 있었다.

"그냥 궁금해서 그런다. 여기는 너만 지키느냐?"

"지금은 그렇습니다."

"그럼 술이라도 사다 주지 않으련? 어차피 보는 이도 없지 않니. 내가 너무 괴롭구나."

남자는 간절하게 말했다. 나보다 머리 하나는 더 큰 사내가 술한 병에 애처롭게 구는 것이 우습기도 하고 가련하기도 했다.

"나리. 제가 사드리고 싶어도 사올 돈이 없습니다."

나는 힐끗 그를 돌아보았다. 눈이 마주쳤다. 얼른 시선을 슬쩍 내렸다. 남자는 속도 없이 입꼬리를 올렸다. 바람 좋은 날의 파도처럼 부드러운 호선이었다.

"내 조금 숨겨둔 돈이 있다."

남자는 품에서 엽전 몇 개를 꺼내더니, 담장 너머로 팔을 쑥 내밀어 내 팔꿈치를 잡아끌었다. 가시덤불에 옷이 찢기는 것도 개의치 않는 모양이었다. 나는 그가 억지로 쥐여주는 엽전을 마지못해 받았다. 가볍게 닿은 남자의 손은 부드럽고 따뜻했다.

그날부터 나는 남자에게 몰래 술을 조금씩 사다 주었다. 돈이 떨어지면 그는 또 어디선가 엽전 몇 개를 꺼내 왔다. 나는 그중 두어 개를 아비에게 사다 줄 과자를 사느라 썼다. 아비는 해가 질 녘이면 자꾸만 집 밖으로 나가려고 몸부림을 쳤는데, 그때 과자라도 던져주면 헤실헤실하며 얌전해지곤 했다.

술을 사다 주면 남자는 꼭 담장 너머로 말을 걸었다. 대화라고는 해도 이런저런 시답잖은 이야기가 전부였다. 한때 나라님이었어도 참 별거 없구나 하는 생각이 들었다.

역을 선 지 보름쯤 되던 날, 남자가 대뜸 자신의 이름을 알려주었다.

남자의 이름은 환이라고 했다.

"예전에는 나도 다른 이름을 썼지. 자신을 과인이라 부르며 말이다. 우습지 않니? 지금은 이 이름 한 글자라도 남은 것에 감사해야 하는구나."

나는 무어라 말해야 할지 몰랐다. 하지만 적어도 그것이 우습거나 재밌는 이야기가 아니란 것쯤은 알았다. 그래서 그냥 고개만 가로저었다.

"아가, 네 나이는 얼마쯤 되었니?"

"스물입니다."

"내가 즉위를 했던 나이와 같구나. 그런데 이 섬의 백성들은 스물이 되어도 너처럼 순수하니?"

환이 물었다. 나는 그의 엽전 몇 냥을 빼돌린 일이 떠올라 몹시도 속이 따끔거렸다.

"저는 순수하지 않습니다, 나리."

환은 나의 말을 농으로 들었는지 낮게 웃었다.

"그런데 나이가 스물인데 왜 시집은 가지 않았니?"

"아비는 병이 깊고, 배도 곯는 처지입니다. 그럴 여유가 없습니다."

환은 담장 너머 먼 바다를 바라보았다. 그를 만나기 전에는 나라님이라고 하면 아주 범처럼 무서운 모습일 줄 알았다. 환은 매서워 보이는 얼굴이기는 했지만, 눈빛만은 사근사근해서 그리 겁이 나지는 않았다.

환의 눈이 수평선을 향해 있는지, 몰아치는 파도를 향해 있는지 궁금했다.

그는 한참 말이 없다가 내게 시선을 돌렸다.

"같이 술 한잔하겠느냐?"

술을 몇 번 사다 줬더니 이제는 나를 술친구 삼으려는 심산인 모양이었다. 그는 내가 미처 대답하기도 전에 제멋대로 술을 따르더니 담 너머로 내밀었다. 나는 두 손으로 공손히 술잔을 받았다. 달콤한 탁주의 넘김이 부드러웠다.

"들어와서 마시면 더 좋지 않겠니?"

들어가려면 못 들어갈 것은 없었다. 혹시 모를 상황에 대비해 대문의 자물쇠를 열 수 있는 열쇠를 받았다. 지금도 허리춤에는 그 열쇠를 차고 있었다. 하지만 선뜻 그곳에 들어가기는 망설여졌다.

"그러다 들키면 저는 경을 칩니다."

"하긴, 하기야 그렇지. 그러면 내가 계속 여기에 서서 마시는 편이 좋을 것 같구나."

이 희한한 양반은 굳이 또 술병과 잔을 들고 서서 담벼락 앞에서 술을 마셨다. 바닷바람이 살을 에는데, 춥지도 않은 모양이었다. 병에서 올라오는 탁주 냄새에 나도 취할 것만 같았다.

"아가, 그런데 너 이름은 뭐니?"

"삼월에 태어나서 삼월이라 부릅니다."

"그런 것을 이름이라 할 수 있느냐?"

"안 될 것은 뭡니까?"

내 말에 그는 설핏 웃음을 흘렸다.

"얘, 아가. 그러면 우리 서로 이름 지어주지 않으련?"

환이 괴이한 제안을 했다.

이 양반이 미쳤나.

"이름을 뭐 하러 짓습니까?"

"그러지 말고 우리 서로 지어주자꾸나. 나도 너에게 새 이름을 받고 싶구나."

한편으로는 그의 그런 기묘한 행동들이 이해가 갈 듯도 했다. 왕의 삶이 어떤 것인지는 모르지만 화려한 궁궐에서 부족함 없이 살다 이런 심심한 섬에 갇혀 아무도 못 만난다면 좀이 쑤실 테다.

나는 그냥 그 정도만 생각하기로 했다. 그의 안에 어떤 절망이 더 웅크리고 있는지, 어떤 비관이 싹트고 있는지, 거기까지 궁리

하고 싶지는 않았다. 어차피 태생이 다른 자들끼리는 서로 이해가 불가능하다. 그가 매병 걸린 아비와 단둘이 사는 삶이 무엇인지 모르듯이, 나도 유폐된 왕이 얼마나 비참한지 모른다. 그런데도 이 천한 것에게 매달려 잠시나마 유희를 즐기려는 그의 몸짓이 참으로 가여웠다.

"나리는 지금 이름도 좋으십니다."

"아가, 그러지 말고, 응? 그러고 보니 나이가 스물이면 범띠겠구나."

"예."

"나는 용띠인데, 그럼 우리는 용호상박이겠구나."

남자는 그렇게 말하고 혼자 웃다가 멋대로 내 이름을 붙이기 시작했다.

"그러면 네 이름은 인화라고 하자. 호랑이 인寅을 쓰고, 화는…… 꽃 화花? 아니다, 아니야. 꽃은 싫구나. 꽃은 져버려서 싫어. 그래, 네 이름에는 아름다울 화華를 쓰자. 꽃은 열흘이면 져버리지만 아름다움은 영영 지지도 멸하지도 않으니 말이다. 아름다움은 꽃처럼 사라지는 것이 아니야. 네게 제법 어울리는 이름 같구나, 인화야."

당연히 나는 글자를 모른다. 그래서 멍하니 남자의 말을 듣고만 있었다.

"이제 너도 내 이름을 하나 지어다오. 받았으니 주어야지."

자기 마음대로 지어줘놓고 나보고도 내놓으란다.

"나리, 그런데 저는 글자를 몰라서 좋은 이름을 짓기가 힘듭니다."

"괜찮다, 괜찮아. 내 오월에 태어났으니 오월이라고 불려도 좋으니 아무 이름이나 네 마음이 내키는 대로 불러보려무나."

나는 남자의 얼굴을 물끄러미 올려다보았다. 어째서인지 그의 얼굴을 보고 있으면 쓸쓸한 기분이 치밀었다. 나는 그의 외로움과 서러움의 내용을 모른다. 요사이 보름간, 술에 취해 비틀거리는 그의 그림자를 계속해서 보았을 뿐이다. 그 그림자를 보고 있노라면, 사람이라는 것은 귀하나 천하나 결국은 제 몫의 불행을 지고 스러진다는 생각만 들었다.

"그럼 나리는 산이라고 하십시오."

"산?"

"예. 산은 바다 위 홀로 떠 있어도 외로움을 모르지 않습니까."

내 말에 남자는 산, 산, 하고 몇 번 중얼거리더니 크게 웃었다.

"아주 마음에 드는구나, 아가. 너는 시인이구나."

"저는 시가 무엇인지도 모르는 천한 계집입니다."

"아니다, 니는 시인이야. 내 이름을 받은 기념으로 너와 한잔 나눠도 되겠느냐?"

"마음대로 하십시오. 이러다 나중에 제 볼기짝이 남아나질 않겠습니다."

나는 마지 못하는 척 잔을 받고 술을 들이켰다. 촌구석의 거친 술이 다 그렇듯, 첫맛은 달짝지근하고 뒷맛은 시큼털털했다.

"인화야."

하고 그가 아름다운 목소리로 나를 불렀다. 낮은 남자의 목소리가 어찌 여자들의 목소리보다 더 청아하고 보드랍게 들리는지 신기했다.

말투도 그렇다. 높으신 나리들은 말투부터 남을 찍어 누르는 것 같은데, 환의 어조는 늘 땅에 사뿐히 내려앉는 꽃잎처럼 유순하다.

"너는 형제가 있느냐?"

"어미가 낳자마자 죽은 동생은 있었습니다. 그때 난산으로 어미도 죽었지요."

"……그랬구나. 나는 형제가 많았다."

남자는 어지러운지 담장에 몸을 기댔다. 오늘도 그의 상투는 흐트러짐이 없었고 수염은 단정했다. 옷도 늘 희고 깨끗했다.

"열 살에 국본이 되었지. 내가 장자였거든. 그리고 나는 내 어린 동생 하나를 죽였다."

형제가 없는 나로서는 동생이 죽는다는 것이 어떤 의미일지, 더 나아가 동생을 죽인다는 것이 어떤 심경일지 짐작하기 어려웠다. 다만 그 말을 할 때 그의 표정에 그늘이 드리운 것을 보아 아주 힘들고 슬픈 일임은 짐작할 수 있었다.

"몇 해 전 가뭄이 심하게 들었을 때 가난한 집 부모들은 제 자식들을 죽였습니다. 제 입에 들어갈 것이 없으면 자식이라도 죽일 수밖에 없지 않겠습니까? 다행히 제 아비는 병신이라 저를 죽이지 않았습니다. 나리도 사실 어쩔 수 없었던 것 아닙니까?"

"그런 말은 너무 비겁하구나."

"하지만 인제 와서 자신을 탓해서 어찌한단 말입니까."

높으신 나리들은 너무 생각이 많아 탈이다. 지난 일은 지난 일이다. 그리고 모든 일이 지나고 나면 환도, 나도, 나의 아비도 공평하게 흙으로 돌아갈 것이다. 나는 그런 생각으로 하루하루를 보내왔다.

그는 잠시 말이 없었다.

"아가."

하고 그가 나를 불렀다.

스물이나 먹고 아가라고 계속 불리니 속이 간질간질했다. 환이 노인도 아닌데 말이다.

"내일은 돈을 좀 더 줄 테니 안줏거리를 넉넉히 사 오너라. 우리 바다 위 떠 있는 산처럼, 이 작은 마당에서 풍류를 즐겨보자꾸나."

그렇게 말하는 환의 목소리는 어딘가 시글프고 간절했다.

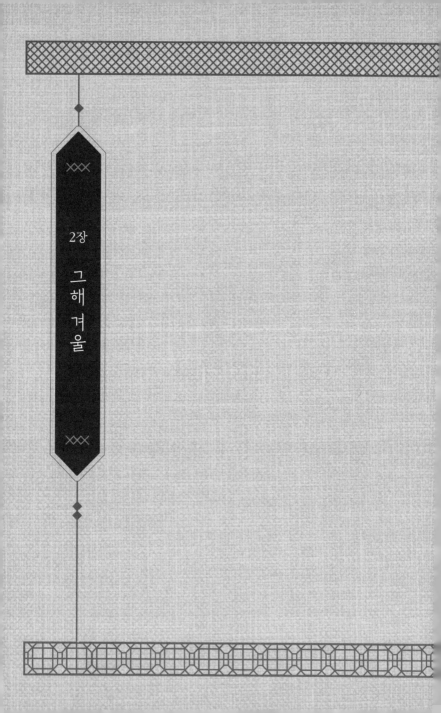

2장

그
해
겨
울

활짝 열린 문 너머
파도가 일렁이는 바다가 보였다.
저 열린 문으로 나는 나갈 수 있지만,
환은 한 발자국도 나갈 수 없다 했다.

섬에 있는 안줏거리라고 해봤자 몇 종류 안 되는 과일이나 말린 해산물 등이 전부였다. 말린 김과 잘 익은 감 몇 개를 고르고, 탁주도 샀다. 환은 내가 오기 전부터 마루에 걸터앉아 나를 기다리고 있었다.

"아가, 기다렸다. 들어와 앉거라."

나는 망설이다 열쇠로 자물쇠를 땄다. 자물쇠가 열리는 소리가 묵직했다. 문을 열고 조심스레 환의 공간에 첫발을 들였다. 심장도 나쁜 짓을 한다는 걸 아는지 쿵쿵 뛰었다.

환이 앉으라는 듯 손짓했다. 평소보다 약간 들뜬 기색이었다. 어지간히도 외로웠구나 싶었다.

마을 사람들은 이 남자를 역병 피하듯 꺼렸다. 그것은 관아에서도 마찬가지였다. 쫓겨났다고는 해도 그의 몸에는 여전히 왕족의 피가 흐른다. 왕좌를 앗을 수는 있어도 왕족의 피까지 앗을 수는 없었다. 그러니 사또에게 환은 내버려 둘 수도, 그렇다고 건드릴 수도 없는 귀찮은 존재였던 모양이다. 관아에서는 내 의례적인 보고조차 귀담아듣지 않았다.

자연히 그의 거처가 있는 절벽 근처로 오는 이도 거의 없었다. 잠깐 들어간다고 해도 아무도 모를 일이었다.

"오늘은 네게 읽어주려고 기억나는 시를 몇 편 적어두었다."

환은 품에서 접어둔 종이 몇 장을 꺼냈다.

"저는 시를 모르는데요."

"아니다. 어제 보니 너는 시인이더구나."

무슨 소리를 하는지 도통 알아들을 수가 없었다. 나는 묵묵히 안주를 싸온 보자기를 펼쳤다. 김은 모퉁이가 바스라졌지만, 감은 터진 곳 없이 온전했다. 내가 과도로 감을 깎는 동안 환은 혼자서 끙끙대며 종이를 뒤적였다.

"그런데 내 기억력이 형편없어서 이것이 맞는지 모르겠어. 창피하구나."

환이 머쓱한지 혼자 작게 웃었다.

"괜찮습니다. 어차피 저는 모르는 것일 텐데요."

내가 그렇게 말했는데도 그는 그것이 그리 부끄러운지 귀를 살짝 붉혔다. 그는 종이를 잠시 내려두고 먼저 놋쇠 그릇 두 개에 탁주를 가득 따랐다.

"인화야. 네 아비의 병증은 무엇이냐?"

"매병입니다. 어떤 병인지 아십니까?"

"알고 있다. 심하느냐?"

"아비는 제가 딸인지 알아보지도 못합니다."

환은 술잔을 들어 한 모금을 마시고 나에게도 들 것을 권했다. 나는 한 모금만 마시고 잔을 내려놓았다.

"그런데 여기 와서 이렇게 있어도 되는 것이냐?"

"어쩔 수 없습니다. 나라에서 시킨 역을 안 하면 끌려가 벌을 받으니까요."

"그럼 앞으로는 조금 더 일찍 들어가거라. 내 정말 얌전히 있을 터이니. 아비 때문에라도 일찍 들어가보는 편이 좋겠구나. 대신 이곳에 있는 동안만이라도 이렇게 나랑 어울려주련."

환의 깊은 눈이 완만한 초승달처럼 휘었다. 집에 일찍 갈 수 있다는데 싫을 턱이 없었다. 나는 고개를 끄덕였다.

보름 정도 지켜본 결과 환은 아주 얌전했다. 내가 조금 일찍 간다고 해서 어디로 도망가지는 않을 것 같았다.

"그래, 인화야. 시를 한번 들어보겠느냐? 네가 무얼 좋아할지 몰라서……."

그는 종이를 한참이나 뒤적거리더니 간신히 하나를 골라 집었다. 나는 시라고는 모르는지라 그의 태도가 영 호들갑스럽게 생각되었다. 그는 헛기침을 두어 번 하고 낮은 목소리로 시를 읊었다.

　　　이화에 월백하고 은한이 삼경인 제

　　　일지춘심을 자규야 아라마는

　　　다정도 병인 냥하여 잠 못드러 하노라 [1]

그는 시를 읊은 뒤 종이 너머 슬쩍 나의 표정을 살폈다.

"제대로 기억을 한 건지 모르겠구나. 그리고 누구 앞에서 이런 걸 읽어본 적이 없어서……."

환은 종이에 이마를 박고 혼자 중얼중얼했다.

"괜찮았니?"

"저야 무식하니 내용은 잘 모르겠지만 나리의 목소리가 참 좋습니다."

진심이었다. 시조를 읊던 그의 목소리는 아기 새가 깃을 부비듯 부드럽고, 새벽녘 첫 바람처럼 산뜻했다.

내 말에 그는 고개를 들었다.

"내 목소리가 좋으냐?"

"예, 굉장히 듣기 좋습니다."

그는 그 말이 퍽 기뻤는지 활짝 웃었다가, 이내 입을 가리고 헛기침을 두어 번 했다.

"사실 이 시는 배꽃이 만발한 봄밤에 읊으면 더 정취가 있을 텐데."

환은 계절이 못내 아쉬운지 깡마른 나뭇가지들을 바라보았다.

"곧 눈이 와서 가지에 쌓이면 배꽃처럼 희게 보일 겁니다."

나도 가지를 올려다보며 말했다. 내 말에 환은 무엇이 그리 좋은지 눈웃음을 지었다.

"아가, 너는 정말 시인이구나."

"저는 시가 무엇인지 모르는데요."

"방금 시는 마음에 드니?"

"나리의 목소리가 듣기 좋았습니다."

이번에도 똑같이 말하자 그는 큰 소리로 웃었다.

"인화야, 지금 나를 자만하게 하는구나."

"저는 느낀 대로 말했을 뿐입니다."

"고맙다."

우리는 탁주 한 잔을 비웠다. 그가 다시 술을 가득 따라주었다.

🌑🌒🌓🌔

잊을 것이 많은 사람은 술도 많이 마시는 법이다. 그래서 환은 매일같이 술을 마셨다.

나도 처음에는 한두 잔만 어울려주려던 것이 석 잔 정도는 마시게 되었다. 그러나 내가 넉 잔째를 마시려는 참이면 늘 환이 술병을 저 멀리 치워버렸다.

"혹 과하게 마셨다가 네가 집에 무사히 들어가지 못하면 안 되지."

"나리, 저는 이런 탁주를 한 대접은 마십니다."

"그래도 안 된다."

먼저 권해놓고 도중에 뺏는 심산이 참 얄궂었다.

어쨌거나 환이 일전에 나에게 시를 읽어주었기에, 나도 무언 가를 해주고 싶었다.

활짝 열린 문 너머 파도가 일렁이는 바다가 보였다. 저 열린 문 으로 나는 나갈 수 있지만, 환은 한 발자국도 나갈 수 없다 했다.

"나리. 절벽 앞까지만 가서 바다라도 보시렵니까?"

"이곳을 나가자는 말이냐?"

환은 잠시 고민하는 듯하더니 고개를 저었다.

"아가. 마음은 고맙다만 네게 누를 끼치고 싶지는 않구나."

나라님이었다는 사내가 생각보다 배포가 작은 모양이었다. 사 립문을 지나 절벽까지는 고작해야 스무 보 남짓인데 무어가 그리 걱정인지.

"누가 오는 기척이 나면 얼른 돌아오면 됩니다."

내가 거듭 권하자 환은 마지못하는 척 먼저 자리를 털고 일어 섰다.

"좋다. 달음박질은 자신이 없으니 누가 오는 것 같거든 일찍 말해주어야 한다."

"달음박질을 못 치십니까?"

"세자로 책봉된 후로는 달려본 적이 없어 모르겠구나."

"그럼 범이 쫓아와도 걸으십니까?"

"왕궁 한가운데 범이 왜 나타나겠느냐?"

환은 내 말이 우스운지 모처럼 크게 웃음을 터트렸다. 그 모습이 왠지 좋아서 나도 따라 웃었다.

하지만 한편으로는 범이 나타났을 때 환이 제대로 도망치지 못할까 걱정이 되었다.

"그래도 이제 범이 나타나면 달리셔야 합니다."

"걱정 마라. 헌데 이 뒷산에 범이 있느냐?"

"예. 이 집에 살던 일가가 범에게 물려 갔습니다. 몇 해 잠잠하긴 했지만 혹시 모릅니다."

"범이 있다라."

환은 씁쓸하게 중얼거렸다.

"내 처지에 물려 가는 편이 나을지도 모르는데."

그는 무슨 생각을 하는지 나를 물끄러미 보았다. 그 눈동자가 쓸쓸해 보여 나까지 괜히 입안이 썼다.

"그래도 우리 인화가 달리라 했으니, 범이 나타나면 힘껏 달려보마."

그가 다시 눈웃음을 지으며 말했다. 환은 농사일을 하는 사내들처럼 다부진 느낌은 아니었지만, 다리도 길고 체격도 좋았다. 마음먹고 달리면 제법 빠를 듯도 했다.

그래도 달려본 적이 없다니 걱정스러웠다.

"그럼 연습 삼아 저 절벽까지만 달려보자."

환이 말했다.

"저도 같이 말입니까?"

"그래."

"좋습니다."

나는 헐거운 군모를 벗고 달릴 준비를 한 다음, 환의 손을 잡았다. 환이 화들짝 놀라 나를 돌아봤다.

"인화야! 어떻게……."

고작 손 좀 잡았는데 내가 겁탈이라도 한 것 같은 반응이라 영 기분이 상했다.

"도망가실까 봐 그럽니다."

사실은 그가 절벽으로 훌쩍 뛰어들 것만 같아서였다. 그랬다간 나는 볼기짝이 터지고 아비까지 관가에 끌려갈지도 모른다.

아니, 어쩌면 아무도 그의 죽음에는 신경 쓰지 않을지도 모르겠다. 고을 사또도, 한성의 높은 분들도 앓던 이가 빠진 것처럼 속 시원해 할 수도 있다.

그건 그것대로 싫었다.

"나리께서 도망가시면 제가 곤란합니다."

내가 해명했는데도 환은 나랑 눈을 맞추지 못했다.

"알겠다."

환이 작게 대답했다.

우리는 하나, 둘, 셋을 센 뒤 손을 잡고 절벽을 향해 달려갔다.

고작 스무 보 남짓이어서 전속력으로 달리자 금방 절벽까지 도착했다.

절벽 끝에 아슬아슬하게 서서 환이 또 웃음을 터트렸다.

"즐거우십니까?"

"그래, 속이 시원하다. 달리는 게 이렇게 좋은 일인 줄은 처음 알았구나."

"다행입니다. 제가 안주와 술을 챙겨 올 테니 잠시만 앉아 기다리십시오. 어디 가시면 안 됩니다."

"걱정 마라. 내가 어딜 간다고 그러니?"

내가 손을 놓으려는데 환이 갑자기 내 손을 다시 잡았다. 까닭을 몰라 멀뚱히 바라보자, 그는 괜히 또 혼자서 뺨을 붉히며 얼른 손을 놓았다.

"그, 아가, 부부가 아닌 남녀끼리는 이렇게 손을 잡는 게 아니란다."

"그렇습니까? 어릴 적 동네 아이들과는 많이 잡았는데요."

"아, 동네 아이……."

아이 취급을 당했다고 생각한 것인지, 환은 더 아무 말도 않고 자리에 앉았다.

환이 절벽에 걸터앉아 바다를 보는 동안 나는 초가에서 짚과 안줏거리를 가져왔다. 부싯돌을 꺼내 탁탁 부딪치자, 그 소리에 환이 뒤를 돌아보았다.

"불을 붙이려느냐?"

"예. 오늘은 다른 안줏거리를 준비해왔습니다."

"그럼 불은 내가 붙이마."

환이 선뜻 나를 돕겠다고 일어섰다. 불을 붙이는 것이 뭐 그리 까다로운 일은 아닌지라, 그에게 부싯돌을 넘겼다.

환은 쌓인 짚 앞에서 어설프게 부싯돌을 부딪쳤다. 몇 번이나 시도해도 도무지 불은 피어오를 기미가 없었다.

"나라님이라고 뭐든 다 아는 것은 아니군요."

"이게 생각보다 어렵구나."

"주십시오. 보여드릴 테니."

나는 혀를 쯧쯧 차고 다시 부싯돌을 뺏어왔다. 내가 불을 피우는 것을 환이 신기하게 바라보았다. 가져온 귤과 옥수수를 짚에 싸서 불에 던져 넣었다.

우리는 귤과 옥수수가 익기를 기다리며 절벽에 앉아 술잔을 나눴다. 석 잔을 이미 마셨는데도 한 잔을 더 주는 것은 처음이었다.

"천천히 마시거라. 나중에 비탈을 내려가야 하는데 발이라도 삐면 큰일이지 않니?"

"알겠습니다."

나는 한 모금을 마신 후 잔을 내려놓았다.

"나오니 좋구나."

고작 몇 걸음 나온 것뿐인데 환은 연신 감탄했다.

"그런데 네 역은 언제 끝나니?"

"잘 모릅니다. 농번기가 오기 전에는 끝났으면 좋겠습니다."

"아마 그렇지 않겠느냐? 허면 이 섬은 봄이 겨울보다 적적하겠구나."

환은 내가 알아듣지 못할 소리를 했다. 하여간 높은 사람들의 말은 알아듣기 힘들다.

"그런데 불을 피우는 것이 힘들어서 식사는 어떻게 하십니까?"

"식사야 뭐……."

쉽게 대답이 나오지 않는 것을 보아, 끼니를 제대로 챙기지 않는 모양이었다. 하기야 궁에서 살던 양반이 도와주는 손 하나 없이 식사를 해결하기란 쉽지 않을 것이다.

이 섬에 유배를 온 사람이 환이 처음은 아니었다. 어릴 적에도 한 삼 년 유배를 살다 간 양반이 있었는데, 그때는 관아에서 사람을 붙여 식사나 가사를 해결하게 도와주었다.

하지만 환은 달랐다. 열흘에 한 번 정도 관아에서 쌀과 찬거리 정도는 가져다주는 모양이었지만, 따로 사람을 붙여주지는 않았다.

사람들 말로는 다른 양반들은 나중에 한성으로 돌아갈 수가 있지만, 환은 돌아갈 수 없는 사람이라 고을 수령이 차라리 죽어 버리길 바라는 것이라 했다.

이렇게 가시덤불을 둘러두고 가둬둔 것도 그가 아주 못된 죄인이기 때문이란다. 무엇을 잘못했는지 몰라도 그 처지가 안쓰러웠다.

"식사를 거르십니까?"

"너랑 이렇게 먹지 않니?"

내가 갖다 주는 부실한 안주 외에는 딱히 식사를 챙기지 않는다는 뜻이었다.

"허기가 지실 텐데요."

"식욕이 그리 돌지는 않는구나."

지금 보니 환의 손목은 뼈대가 도드라질 정도로 야위었다.

"이렇게 술만 드시면 병이 납니다, 나리."

"건강이 무어 대수냐? 내 처지가 이런데."

"제 아비도 젊을 적에 끼니를 술로 때울 때가 많더니 기어이 매병이 왔습니다."

내 말에 환은 잠시 말이 없었다.

"알았다. 챙겨보도록 하마."

"예. 찬거리가 될 만한 게 있으면 가져오겠습니다."

"네게 신세가 많구나."

"나리가 주신 돈으로 사오는 건데요."

게다가 나는 엽전을 두어 냥씩 계속 빼돌리고 있었다.

생각이 거기에 미치자 이 이야기가 불편해져서 괜히 쇠꼬챙이로 불타는 짚을 뒤적였다. 이쯤이면 귤이 다 구워졌겠다 싶어 우선 하나를 꺼냈다. 내가 껍질을 까려는데 환이 손을 내밀었다.

"아가, 주렴. 뜨겁지 않니? 내가 까주마."

나는 힐끔 환의 손을 보았다. 그의 손은 내 손보다 훨씬 고왔다. 아까 잡았을 때도 사람의 손이 이렇게 나긋나긋할 수 있나 싶어 내심 깜짝 놀랐다.

"뜨겁습니다. 손을 다치실 겁니다."

"그러니 네가 아니라 내가 해야지. 어서 다오."

환이 재차 고집을 피웠다. 나는 하는 수 없이 귤 하나를 넘겼다. 뜨겁긴 뜨거운지 환은 슬쩍 미간을 좁혔다.

"너무 뜨거우시면 제가 하겠습니다. 저는 손에 굳은살이 많아 그리 뜨겁지도 않은데요."

"아니다. 내가 하고 싶어."

뜨거운 귤 때문에 그의 하얀 손이 붉게 덴 것이 보였다. 그런데도 그는 꿋꿋하게 껍질을 간 후 알맹이를 반 나눠서 내게 주었다.

"한성에서는 귤이 귀한 진상품이라 임금이라도 실컷 먹기는 힘들지. 그런데 여기서는 이렇게 쌓아두고 먹을 수 있으니, 어찌 보면 용상보다 이곳이 더 좋은 것 같구나."

산해진미가 가득한 왕궁보다 이 쌀쌀한 절벽이 더 좋다는 말이 이해가 가지 않았다. 그것도 고작 귤 때문이라니.

"귤을 그렇게 좋아하시는 줄 알았으면 진작 가져올 걸 그랬습니다."

"그때는 그렇게까지는 좋아하지 않았다만, 이제 꽤 좋아하게 될 것 같구나."

껍질을 까는 게 뭐가 그리 재밌는지 환은 기어이 뜨거운 귤껍질을 전부 깠다. 어지간히도 심심했구나 싶어서 내일도 귤 몇 개를 더 따와야겠다는 생각이 들었다.

"오늘 정말 즐거워 보이십니다."

"그러니?"

"예. 요만큼 나왔을 뿐인데."

혹 불어온 바닷바람이 환의 옷자락을 뒤흔들었다. 짚이 타는 냄새가 고소했다.

"물론 나온 것도 좋다만, 나는 네가 나가자 권해준 것이 더 기쁘구나, 아가."

그렇게 말하고 그는 더없이 자상한 미소로,

"인화야."

하고 나를 고쳐 불렀다.

얼마 뒤 첫눈이 왔다.

"눈이 오는구나."

환은 마당에 나와 눈을 맞았다.

"그러다 고뿔이라도 들면 어쩌려고 그러십니까? 들어가십시오."

"너야말로 춥지 않으냐? 그 옷은 너무 얇아 보이는데."

환이 다가와 군졸 옷의 소매를 매만졌다. 싸구려 천으로 만들어 얇은데다가 나에게는 한 치수 큰 옷이었다. 헐렁한 소매 틈으로 찬바람이 쌩쌩 들었다.

"별 수 있습니까. 이 옷밖에 없다고 합니다."

"……중앙에서는 이런 것을 내리지 않을 터인데."

환이 심각한 표정으로 혼잣말을 했다.

"분명 사철에 맞춰 옷을 나눠주도록 하였는데."

그는 몇 번이나 내 옷의 두께를 확인하고서 한숨을 푹 내쉬었다.

"어떤 놈이 네가 입어야 할 옷으로 부당한 이익을 취한 것 같구나."

"저는 상관없습니다, 나리. 이렇게 건강한데요."

"건강을 자만하면 못쓴다, 인화야. 들어오너라. 내가 너에게 안에 입을 옷이라도 빌려주마."

그는 괜찮다고 거절하는 나를 억지로 등 떠밀어 방 안으로 들였다. 그의 방은 장작을 때지 않아 얼음장처럼 추웠다. 방 안에는 서책 몇 권과 붓, 그리고 쓰지 않은 종이들이 책상에 너저분하게 늘어져 있었다. 그는 구석의 작은 장롱을 열어 솜옷을 꺼냈다.

"나가 있을 테니 안에 입고 나오거라. 앞으로는 오갈 때 꼭 챙겨 입거라."

그는 내가 거절하지 못하게 옷을 떠넘기고 문을 닫고 나가버렸다. 나는 그가 준 솜옷을 쓸어보았다. 태어나서 처음 만져보는 솜의 촉감은 내 상상보다 보드랍고 보송보송했다. 사람은 다 제 분수가 있다는데 이런 사치스러운 것을 입었다가 괜한 액운을 맞는 것은 아닐지 걱정이 되었다. 나는 솜옷을 입고 그 위에 군졸 옷을 다시 입었다. 워낙 헐렁했던 옷이어서 이렇게 입고도 여유가 있었다.

문을 열고 나오니 환은 앞마루에 앉아 있었다.

"훨씬 낫구나."

환이 내 모습을 보고 슬쩍 웃었다.

"그런데 나리, 방이 너무 찹니다. 혹시 장작이 없으십니까?"

"아니다. 거추장스러워 일부러 때지 않았다."

"불붙이는 게 힘드시면 제가 때드리겠습니다. 춥게 주무시면 입 돌아갑니다."

내 말에 그는 유쾌하게 웃었다.

"그건 큰일이구나. 허면 내가 뗄 테니 너는 그냥 있거라."

그는 일어나 부엌 쪽으로 갔다.

"불을 뗄 줄은 아십니까?"

"인화야, 대체 넌 나를 어떻게 보는 건지 모르겠구나. 설마 내가 불도 못 때겠니?"

"지난번에는……."

"걱정 마라. 그 뒤로 연습했으니."

그때 짚에 불을 못 붙인 것이 마음에 남은 모양이다. 환은 자신만만하게 주방으로 들어간 것과 달리 한동안 나오지 않았다.

나는 홀로 앉아 겨울 풍경을 바라보았다. 눈은 점점 굵어지더니 어느새 함박눈이 되어 쏟아졌다. 집에 갈 때쯤이면 눈이 제법 쌓일 것 같았다.

한참 뒤 환이 부엌에서 나와 내 옆에 걸터앉았다. 그는 눈 내리는 하늘을 멍하니 올려다보았다. 이 사람의 속에서는 무엇이 피고 지고 있을지 그것이 조금은 궁금했다.

눈에 신발 바닥이 잠길 때쯤, 환이 입을 열었다.

"지금쯤이면 방이 따뜻해졌을 것 같은데, 들어가 있자."

"나리께서는 들어가 계십시오. 저는 따뜻한 옷도 입었으니 괜찮습니다."

"나 혼자서는 별로 들어가고 싶지 않구나."

어지간히도 혼자 있는 것을 싫어하는 모양이었다. 하기야 내가 없는 시간은 홀로 방에서 틀어박혀 있을 테니, 사람이 그리울 만도 했다.

이 아스라한 절벽에서 홀로 맞는 밤은 분명 외로울 것이다.

"알겠습니다. 혹여나 나중에 이 일로 제가 곤장을 맞으면 나리께서 책임지십시오."

"알았다, 내가 알아서 처신을 잘해서 네게 절대 피해가 안 가게 하마."

우리는 방에 앉아 탁주를 놋쇠 사발에 한 잔씩 따랐다. 사위가 고요하고 눈이 쌓이는 소리가 들렸다.

"너와 이렇게 마시면 늘 운치가 있구나."

"술이 거친데 무슨 운치가 있다고 그러십니까?"

"아니다, 박주산채여도 같이 마시는 사람이 중요한 것이지."

그는 웃으며 술을 한 모금 마셨다. 마을의 사내들은 탁주를 마실 때면 늘 입술과 수염에 지저분히 묻히곤 했는데, 환은 어떻게 하는 것인지 술이 전혀 묻지 않았다.

"인화야. 너는 나를 처음 봤을 때 어떤 생각을 했느냐?"

그는 별스러운 것을 또 물어보았다.

"나리께서 여인 수백 명을 겁탈했다고 들었는데, 보기에는 그런 분 같지는 않다는 생각을 했었습니다."

내 말에 술을 삼키다 사레가 들렸는지 그가 한참을 캑캑거렸다. 그는 방구석에서 물통을 가져와 찬물을 한 사발 들이마시고 손으로 부채질을 했다.

"어떤 작자들이 그런 광언을 퍼트린단 말이야?"

"아, 저도 수백 명은 과장이라 생각했습니다."

"아니, 숫자가 문제가 아니잖니."

그는 이마를 짚었다.

"아무튼, 그래. 솔직해서 좋구나, 아가."

그는 혼이 나간 듯이 허탈하게 웃었다.

"그래도 처첩은 있으셨겠죠?"

물어놓고 아차 했다.

나는 환의 가족들이 어떻게 됐는지 모른다. 혹 다 죽었다면 괜한 것을 물은 게 아닌가. 하지만 그런 생각까지 미쳤을 때는 이미 말을 내뱉은 뒤였다.

"왜 그런 것을 묻니?"

그냥 대답을 해주면 될 것을 그는 거꾸로 되물었다.

"그냥 이야기를 하다 보니 생각이 났습니다."

그는 뭐가 재밌는지 작게 웃다가 나와 그의 잔에 술을 더 따랐다.

"아가, 왕궁에 열락이 있을 것 같으냐?"

그는 또 알 수 없는 말을 했다. 나는 이미 그와의 수많은 대화를 통해 이럴 때는 도로 질문을 하면 된다는 것을 알고 있었다.

"열락이 무엇입니까?"

"그곳에 사람의 삶이 있을 것 같으냔 말이다. 아, 물론 있기는 있지. 남녀의 정도 있고 투기도 있고 인간사 있을 것은 다 있지. 죄다 지긋지긋한 것들뿐이었다만."

그는 혼잣말을 멈추고 나를 응시했다.

"그게 정말 알고 싶니?"

나는 무슨 대답을 하면 좋을지 몰라 어정쩡하게 손가락 끝으로 술잔만 매만졌다. 환의 지난날을 알고도 싶었고, 모르고도 싶었다. 내가 고민 끝에 고개를 끄덕이자, 그는 뜬금없이 제 부친의 이야기부터 꺼냈다.

"선왕의 부인이 몇이었는지 아느냐?"

"전혀 모릅니다. 백 명쯤 되었습니까?"

"다행히도 백 명은 아니었지. 왕후는 내 모친 한 분뿐이었으나 후궁은 스물도 넘었다."

많은지 적은지 감이 오지 않았다.

"전혀 못 들어본 이야기니?"

"예."

"그럼 선대의 왕후가……."

환은 무언가를 말하려다 멈칫하고 이내 고개를 흔들었다.

"아니다. 이 이야기는 들어서 좋을 것 없겠지."

그는 작게 중얼거리고는 술을 한 모금 마셨다. 무슨 이야기일지 궁금하긴 했지만, 환의 표정이 너무 괴로워 보여 더 물어볼 수가 없었다. 대신 나는 다른 질문을 던졌다.

"그럼 나리는 어떠셨습니까?"

"나? 난 어땠을 거 같니?"

환이 장난스럽게 물었다.

"글쎄요, 한 다섯 명?"

환은 내 무성의한 대답에 몹시 실망한 표정이었다.

"너무 적게 불렀습니까?"

"아니. 너무 많이 불렀어. 따로 후궁은 없었으니까."

환의 말이 의외여서 고개를 갸웃했다.

"어째서요?"

"선왕께서는 자식이 너무 많았다. 내 형제만도 스무 명이 넘었지. 세자로 책봉될 사람은 원자인 나였지만, 왕위를 노리는 경쟁자가 많았다는 뜻이다. 이해가 가니?"

"예."

얼마 안 되는 재산으로도 형제끼리 송사를 거는 마당에, 왕족들이야 오죽할까 싶었다.

"그 자리가 퍽 좋은가 봅니다."

"불나방이 불이 좋아 덤벼들까?"

환은 피식하고 고개를 저었다.

"내 부친은 꽤나 고약한 분이셨다. 자식들은 자식들끼리 경쟁을 시키고, 아내들은 아내들끼리 경쟁을 시켰어."

"아내들끼리요?"

선뜻 이해가 되지 않아 되물었다.

"사람이 마음의 구멍이 크면 비틀린 방식으로 애정을 갈구하게 되지."

환이 말을 이었다.

"난 그런 게 싫었다. 하지만 어쨌거나 세자가 되면 법도에 따라 빈을 맞아야 하고, 세도가에서도 왕자들을 내버려두질 않지."

안다. 환의 나이쯤 되면 혼인을 하지 않는 게 이상한 일이다. 하다못해 잘난 것 없는 마을 남자들도 서른쯤 되면 자식 한둘은 달고 있다. 그런데도 환이 혼인했었다는 이야기를 들으니 기분이 묘했다. 그가 늘 외톨이 같은 표정만 짓고 있어서일까. 환의 곁에 누가 있는 모습은 잘 상상이 가질 않았다.

"게다가 왕후 자리에 누가 들어가느냐가 권세 있는 자들에겐 중요한 문제거든. 그래서 좌상이 자신의 조카를 왕후 자리에 밀어넣었지."

환은 자신의 혼인을 마치 남의 일처럼 이야기했다.

"그분은……."

"죽었냐고? 아니, 반정을 주도한 게 좌상이었으니, 제 조카를 건드리진 않았지. 출궁하는 선에서 끝났어."

나는 환의 말이 잘 이해가지 않았다.

"조카가 왕후인데 왜 반정을 주도합니까?"

"애초에 내가 자신의 말을 들어줬으면 해서 조카를 그 자리에 넣은 거니까. 그런데 내가 끝까지 좌상의 말을 들어주지 않았으니 그런 짓도 할 수 있었던 거지."

"어려운 부탁이었나 봅니다."

"쉬운 부탁이었다."

환은 잠시 말을 끊었다. 그는 나와 잔을 부딪쳤다.

"그 부탁을 듣지 않는 것이 오히려 어려운 일이었지. 하지만 그땐 어려운 길을 가야만 한다고 생각했지. 아마 다시 그때로 돌아가도 그리할 것 같다만."

환의 말은 어딘가 붕 뜬 것 같아서 잘 이해가 가지 않았다.

"그 여자도 어쩌다 얼굴을 마주하는 날이면 제 숙부의 뜻을 따라 달라 청하고. 그걸 청이라고 해야 할지, 겁박이라고 해야 할지……. 궁에 내 편이라고는 없었지. 왕권이 불안하면 왕좌는 참 배부른 지옥이거든."

지옥이라도 배만 부르면 그만이지 않나 생각했지만 너무 무심한 소리인 거 같아 관뒀다. 적어도 지금 환은 정말로 괴로워 보였다. 그래도 한때는 부부였는데 그 여자라고 부르는 것도 생경했다. 우리 마을에도 서로 죽일 듯이 지지고 볶는 부부들이 많지만, 그래도 서로를 가까이 여기기는 하는데 별스러운 일이었다.

"두 분은 사이가 좋지 않으셨나 봅니다."

"아주 나빴지."

환은 거기까지 말하고 쓰게 웃었다.

"아니다. 괜한 말을 했구나. 방금 말은 잊어주렴."

나는 말없이 고개를 끄덕였다.

참 묘한 일이었다. 환은 눈빛도 자상하고, 목소리도 좋고, 손도 부드럽다. 어쩐 까닭에 그와 사이가 그토록 나빴을지 상상이 가지 않았다.

"용상에 있을 때는 후계가 없는 것이 큰 근심이었는데, 돌이켜 보니 다행인 것 같구나."

"그게 왜 도움입니까?"

"자식이 있었어도 폐주의 혈육이니 비참한 운명을 살게 됐겠지. 꼭 자식이 아니더라도 혈육 중에 다른 후계를 지정했다면 그 사람도 나와 같이 반정에 휩쓸렸을 테고. 그러니 차라리 다행 아니냐?"

내가 답을 하지 못하자 환이 빙긋이 웃었다.

"그동안 만민이 나를 지켜본다 생각하고 살았는데 그건 착각이었던 모양이구나. 네게 이렇게 자세히 내 이야기를 하게 될 줄은 몰랐다."

"원체 이 섬 사람들이 육지의 소식에는 둔합니다."

왕이 바뀐 것도 계절이 지나서야 소식이 닿은 곳이었다. 그래도 환이 이 섬에 온 후, 한동안은 주막마다 그의 이야기로 떠들썩

했다, 지금 보면 대부분 뜬소문이었던 것 같지만.

"그럼 나리께서 남색을 했다는 소문도 헛말이군요."

내 말에 환이 눈을 크게 뜨더니 손으로 괜히 부채질을 했다.

"누가 그런 소리를 해댔단 말이냐? 나 참."

"그냥 그런 소문이 돌기에 그런가 했습니다."

"전혀 아니다. 아무튼 답이 되었느냐?"

"네."

"그럼 이제 네 얘기도 해보렴, 아가. 내가 했으니 너도 해주어야지."

"저는 혼인한 적이 없는데요."

"그게 아니라도 마음을 나눈 상대 정도는 있을 것 아니냐?"

"글쎄요."

나는 뭔가 민망해서 말을 얼버무렸다.

"상민들은 보통 그렇지 않니?"

거참 집요하게도 물어본다.

"네 나이가 스물이기도 하고……."

환은 시선을 내리깔았다.

"그리고 네가 원체 어여쁘니……."

거짓말도 잘한다. 왕궁의 궁녀들은 선녀 같은 미인들이라던데, 그런 여자들에게 둘러싸여 살아온 환이 진심으로 날 예쁘다 생각할 것 같지는 않았다. 게다가 난 그리 잘난 얼굴도 아니다. 물론 내가 그를 감시하는 역할을 하고 있긴 하지만 그가 이렇게까지 내게 아부할 필요가 있나 싶었다.

"제가요? 농이 과하신데요."

"농담이 아닌데."

그는 무언가 더 말하고 싶은 듯 입술을 우물거렸다. 또 듣기 민망한 아부를 할까 싶어 얼른 말을 돌려버렸다.

"음, 예전에 저희 동네에 사는 덕이가 제게 청혼을 했던 적이 있긴 합니다."

어쨌거나 그도 지난 이야기를 조금 해주었으니 나도 해주는 게 공평할 것 같았다.

"청혼? 근데 왜 하지 않았니?"

"그닥 마음이 있는 상대도 아니었고……. 그때 마침 아비가 매병이 왔습니다. 그쪽에서 먼저 이야기를 물리고 결국 다른 여자를 데려와 살더군요."

"의리 없긴."

"나리께서도 아시겠지만 그 병이 그리 쉬운 병이 아닙니다."

"그야 그렇다만 듣기 좋진 않구나."

"아무튼 그 이후로는 저랑 딱히 말도 섞지 않았는데, 요즘따라 이상할 정도로 귀찮게 굽니다."

"네게 아직 미련이 있나보지?"

"글쎄요. 갑자기 뭘 잘못 먹었는지도 모르지요."

내 심드렁한 대답에 환이 시선을 내리며 슬쩍 웃었다.

"넌 그 녀석에게 관심이 없는 모양이구나."

"동네의 큰 부잣집 아들이긴 한데, 너무 허풍이 심해서 좀 피곤합니다. 어릴 때부터 한성에 가서 큰일을 할 거라고 소리치고 다녔는데 정작 하는 일은 술이나 먹고 빈둥대는 게 전부입니다."

덕이가 망나니인 건 동네 사람들이 다 아는 사실이었다.

"집에 돈도 있으면 과거라도 준비하면 될 텐데."

"말은 만날 그렇게 하지요. 하지만 정작 시험장에 가본 적도 없습니다."

"그런데 요즘 네게 귀찮게 군다고?"

"예. 어제만 해도 집 앞에서 기다리고 있다가 쓸데없는 걸 꼬치꼬치 캐묻지를 않나⋯⋯."

웃으면서 듣고 있던 환의 표정이 갑자기 굳었다. 그가 이렇게 정색하는 것은 처음 보았다. 어좌에 있을 때는 늘 저런 표정이었을까. 모르긴 몰라도 그랬다면 지금처럼 친근하게 말을 나누기는 힘들었을 것 같다.

"집 앞에서 기다려?"

"오죽 할 일이 없으면 그러겠습니까? 어울려 다니는 패거리들도 다 한량이라."

"인화야. 혹시 무슨 일이 있으면 내게 꼭 말해주어야 한다."

"예?"

여기 갇혀 있는 환에게 고자질을 해봐야 그의 속만 상하게 할 텐데. 게다가 덕이가 좀 귀찮기는 해도 설마 내게 무슨 해코지를 하겠나 싶었다. 덕이는 망나니라 해도 일단은 부잣집 아들이고 나는 털어봤자 먼지밖에 안 나오는 형편이다. 나를 괴롭혀서 얻을 것이 없단 뜻이다. 환은 너무 걱정이 많다.

"약속하는 거지?"

그는 몸을 앞으로 기울여 내 얼굴을 빤히 바라보았다. 온돌이 너무 뜨거운 것인지 얼굴에 열이 올랐다. 이제 알았는데 환의 눈동자에는 은은한 광채가 깃들어 있었다. 맑은 날 별이 총총한 하늘처럼 반짝이지는 않았지만, 흐린 날 달이 홀로 지키는 밤하늘처럼 한 줄기 빛이 감돌았다. 그 눈빛에 나도 모르게 마른침을 삼켰다.

여우가 천년을 묵으면 사람을 홀린다는데.

밤새 여우가 환을 잡아먹고 둔갑한 것은 아닐까 하는 생각이 들 정도로 묘한 눈빛이었다. 더 바라보면 홀릴 것 같아 벌떡 자리에서 일어섰다.

"저, 슬슬 가봐야 할 시간 같습니다."

그는 픽 웃더니 평소의 모습으로 돌아왔다.

"그래. 약속한 걸로 아마."

그날 돌아오니 아비는 찬 바닥에서 얌전히 잠들어 있었다. 그 것이 어쩐지 가여워져서 환에게 받은 솜옷을 벗어 아비에게 입혀주었다.

아비는 게슴츠레하게 눈을 뜨더니 헤벌쭉 웃었다.

"따뜻해……."

그는 작게 웅얼거리더니 곧 웅크려 다시 잠에 들었다.

다음 날도 나는 환과 방 안에서 술을 마셨다. 환은 내 옷차림을 슬그머니 살폈다.

"따뜻하게 입고 다니라 했는데 왜 오늘도 얇게 입고 왔느냐?"

"어차피 방 안에 있을 것인데 따뜻한 옷이 꼭 필요합니까?"

굳이 아비의 이야기를 하고 싶지 않아 다른 말로 둘러댔다.

"오가는 길이 춥지 않니."

"작년은 더 추웠습니다."

"네가 정 그렇다면 어쩔 수 없지."

환은 더 묻지 않고 탁주를 홀짝였다.

"아, 인화야. 어제 그 시조 말이다."

"듣기 좋았습니다."

내 말에 환은 잔을 내려놓고 무언가 망설이더니 이내 웃으며 물었다.

"듣기 괜찮았니?"

"네. 나리 목소리는 언제 들어도 좋으니까요."

"나를 부끄럽게 하려고 그러는구나."

그 말이 무슨 대단한 칭찬이라도 되는 것처럼 그의 얼굴이 붉어졌다.

"아가. 너는 내가 싫지 않니?"

그가 물었다.

"갑자기 무슨 말씀입니까?"

"나는 폐주다. 아마 죽을 때까지 여기 갇혀 있겠지."

잠시 무거운 침묵이 흘렀다.

"그래서 너마저 오지 않으면 나는 너무 외로울 것 같구나. 그런데 그것은 내 사정이고. 인화 너는 내가 싫지 않느냐? 모두가 나를 피하고 꺼리는데 말이다."

너무도 뜬금없는 소리였다. 나는 눈을 크게 뜨고 부정했다.

"나리. 나리 같은 높은 분들에 대해서 저 같은 천한 것이 좋아하고 싫어하고가 어디 있겠습니까?"

환의 입꼬리가 아래로 내려갔다.

"그래. 좋지도 싫지도 않은 게로구나."

그는 시선을 내리깔고 중얼거렸다.

"그렇지. 내 처지에 무얼 바라겠느냐?"

그 표정을 보자 마음이 쿡쿡 쑤셨다. 정말이지 저렇게 세상을 다 잃은 얼굴을 하는 남자를 보는 것은 곤혹스럽다. 괜스레 나까지 슬퍼지고 만다. 나는 그의 잔에 술을 채워주었다.

겨울이 깊어갈수록 눈도 점점 높게 쌓여갔다. 해안가 모래사장에도 눈이 쌓였다. 흰 눈과 바다가 만나는 광경을 보며 환을 생각했다. 문득 그는 이곳에 올 수 없다는 사실을 떠올렸다. 가능하다면 이 풍경을 도려내 그의 앞에 펼쳐 보여주고 싶었다.

발목을 넘는 눈을 헤치고 환의 거처에 도착했다. 그는 글자가 빽빽한 큰 종이와 서툴게 깎은 윤목을 펼쳐놓고 있었다.

"이건 뭡니까?"

"승경도라는 놀이다. 유생들이 재미로 즐겨 하는 것인데, 술자리에서 여흥으로도 많이들 하지."

"처음 봅니다."

나는 자리에 앉아 윤목을 살폈다. 오각으로 된 윤목은 윷과 비슷하게 생겼는데, 모서리마다 홈이 하나부터 다섯까지 파여 있었다. 이것을 던져 무언가 숫자를 정하는 모양이었다.

"이런 건 또 어디서 나셨습니까?"

"밤에 할 일이 없어서 만들었지."

"허……."

어지간히 심심한 모양이었다. 나는 엉망으로 삐뚤빼뚤한 윤목을 보았다. 다람쥐가 갉아먹어도 이것보다는 반듯하겠다 싶었다.

"나리, 이거 깎은 칼 좀 주십시오."

"왜?"

"잠시면 됩니다."

나는 칼을 받아 윤목을 다듬었다.

"아가, 너 손재주가 정말 좋구나."

환이 감탄했다. 처음 듣는 이야기는 아니었다. 동네에서 바느질을 좀 한다 하는 아주머니들도 내 손재주를 종종 칭찬하곤 했다. 같은 말인데도 환에게 들으니 이상하게 목덜미가 화끈거렸다.

"이런 재주라도 있어야지요."

나는 쑥스러운 기분에 더 퉁명스럽게 대꾸했다. 그런데 문제는 윤목이 아니었다. 놀이판의 글씨가 온통 한문이어서 읽을 수가 없었다.

"나리, 전 이 글자들을 읽을 수가 없는데요."

"괜찮아. 내가 설명해주면 되지 않느냐."

승경도라는 놀이는 한성의 양반들이 즐겨 하는 놀이로, 저 윤목을 던져 종구품에서 정일품의 자리까지 올라가는 것이 목표라고 했다. 규칙은 단순했지만 내게는 머나먼 세상의 이야기여서 잘 이해가 가지 않는 부분도 많았다.

이 종이 위에 그려진 놀이판이 환이 살아왔던 세계인 것이다. 종구품의 청년들로부터 정일품의 대감들까지, 모두 그의 발아래에 엎드려 그를 주상으로 모시던 세계. 나로서는 까마득히 높아 감히 상상하기도 힘든 자리였다. 그러나 지금 환은 나 같은 것과 마주 앉아 종구품의 자리에 자신의 말을 올려두고 있었다.

이것이 그에게는 정말 그저 유희일 뿐인지, 더러는 못된 향수는 아닐지, 나로서는 짐작할 수 없었다.

"나는 문과로 시작하마. 원래는 윤목을 굴려서 정하기도 한다만, 오늘은 처음이니 그냥 원하는 대로 정해보자. 아가, 너는 어느 쪽이 좋겠니?"

"뭐, 저는 그래도 군졸이니 무과로 해주십시오."

"좋아. 내가 연장자니 나부터 시작하마."

그가 먼저 윤목을 던졌다. 우리는 탁주로 목을 축여가며 놀이를 했다. 환은 육조가 무엇을 하는 곳이고, 각 벼슬자리가 어떤 직책인지 열성적으로 설명해주었다. 덕분에 문외한인 나도 몰입할 수 있었다. 이제 종오품의 자리까지 간신히 올라갔을 때였다.

나는 사약을 받게 되었다.

"예? 갑자기 이게 뭐예요?"

내가 억울해서 따지자 환은 신나서 웃었다. 남의 불행에 진심으로 기뻐하다니 성정 참 괴팍하다. 그는 내 잔에 탁주를 넘칠 정도로 가득 따랐다.

"한 잔 쭉 마시거라. 벌칙이다. 그리고 놀이는 계속 이어 하자꾸나."

"예, 예."

나는 술을 흘리지 않게 사발을 조심스럽게 들고 한 번에 술을 쭉 들이켰다. 술기운에 코끝이 찡했다.

"이렇게 마시다간 취하겠습니다, 나리."

"걱정하지 마라. 석 잔이 넘어가면 내가 대신 마셔줄 테니. 나라고 언제까지 잘 나가겠니?"

그는 웃음을 멈추지 못하고 윷목을 던졌다. 과연 그의 말이 맞았다. 인생이란 늘 잘 나갈 수 없는 것, 그도 정사품의 자리에서 유배를 가게 되었다. 그는 괴롭게 이마를 짚었다.

"어째서 놀이에서마저 유배란 말이야."

그가 자못 진지하게 절망한 얼굴을 하고 있으니 나도 절로 웃음이 나왔다.

"한 사발 쭉 잡수시면 풀려나는 것으로 하죠."

"알았다, 알았어. 그래도 놀이에서나마 위리안치가 아니라 유배인 게 어디냐."

그는 잔을 시원하게 비웠다. 그런데 기가 막히게도 그는 그 뒤로도 세 번이나 더 유배를 가는 바람에 세 사발을 더 마셔버렸다.

"어째서 또 유배란 말이냐, 또!"

환이 억울한 듯 외쳤다.

"원래 인생이 그런 겁니다, 나리."

술이 거의 다 떨어졌을 때쯤 내가 도원수가 되면서 놀이가 끝났다. 나는 남은 술을 털어서 그의 마지막 잔을 채워주었다.

"졌으니 내가 마셔야겠구나."

"천천히 드십시오."

환은 내 말을 듣는 둥 마는 둥 한 번에 잔을 비워버렸다. 그의 눈동자가 흐릿하게 풀려 있었다. 그렇게나 마셔댔으니 취기가 올라오는 것도 당연했다. 그는 놀이판을 밀어내고 성큼 내 앞에 다가와 앉았다.

석 잔이 넘어간 후, 내 벌주는 모두 환이 대신 마셨다. 집에 돌아갈 길이 걱정된다는 이유였다. 덕분에 환은 오늘 어느 때보다 취한 모습이었다. 그의 몸에서 풍겨오는 탁주 냄새에 정신이 어쩔했다. 그는 눈이 풀린 채 비실비실 웃었다.

"나리, 취하셨습니다. 쉬십시오."

"아니, 아니. 괜찮다. 어차피 이젠 피로할 일도……."

그는 혼자 횡설수설하더니 말을 뚝 멈췄다. 갑작스러운 침묵이 찾아왔다. 어느 틈에 우리 사이는 고작 한 척 정도로 좁혀져 있었다.

가까이서 보니 환의 긴 눈꼬리가 눈에 들어왔다. 사내다운 용모지만 이렇게 예쁜 구석도 있구나, 하는 생각이 들었다.

그가 천천히 손을 뻗었다. 그의 손은 닿을 듯 말 듯 내 오른 귀 근처의 허공을 방황하더니 이내 뺨을 가볍게 짚었다. 누구의 것인지 모를 열기가 뺨을 달궜다. 우리는 더 멀어지지도 그렇다고 다가서지도 않은 채 서로를 한참이나 바라보았다.

그는 무슨 재밌는 생각을 하는지 혼자 픽 웃더니, 거의 앞으로 고꾸라지듯 내게 몸을 기댔다. 내 왼 어깨에 그의 이마가 닿았다. 심장이 어찌나 크게 고동치는지 머리끝부터 발끝까지 울리는 느낌이었다. 분명 그의 귓가에도 이 소리가 들렸을 것이다.

그런데 그는 아무 말없이 한참을 가만히 있었다. 뭔가 이상해서 쳐다보니 그는 그대로 술에 곯아떨어져 잠들어 있었다.

"나리, 가서 편히 주무세요."

어깨를 흔들어보았지만 그는 깨어날 생각을 안 했다. 하는 수 없이 조심스럽게 몸을 빼고, 그를 질질 끌다시피 해서 바닥에 눕혔다. 이불을 덮어주고 가려고 하는데, 그가 눈을 가늘게 뜨고 내 손목을 잡았다. 그는 나를 훅 당겨서 품에 안았다. 얇은 옷감이 바스락거리는 소리를 냈다.

가슴팍에서 느껴지는 열기에 숨이 막혔다.

"오늘은 자고 가련."

그가 작게 속삭였다.

"너무 외로워."

한숨 섞인 메마른 목소리가 속을 아프게 긁었다.

"나리, 집에서 아비가 기다려서 가봐야 합니다."

"아, 그렇지. 그랬지. 미안해, 미안하다."

술에 취해 고집을 피울까 걱정이었는데, 의외로 그는 순순히 팔을 풀었다. 나는 조금 더 그의 곁에 누워 있다 몸을 일으켰다. 잠든 그의 눈가가 젖어 있었다. 그 모습이 아이 같기도 하고 가련

하기도 했다. 나는 소매로 그의 눈물을 닦아준 후 집으로 돌아
갔다.

◔◗◖◖

해가 바뀌었다. 새해 첫날 나는 일부러 새벽길을 걸어 환의 거
처에 도착했다. 동이 트기 전이었다. 사립문을 열고 들어갔더니
환이 방에서 나왔다.

"안 주무셨습니까?"

"해가 바뀐다고 생각하니 잠이 오지 않더구나. 그리고 네가 일
찍 온다고 했지 않니."

그는 겉옷을 챙겨 나와 내 어깨에 덮어주었다.

"이 옷도 들고 가거라. 매일 추워 보이니 딱하구나. 그리고 이
건 새해 선물이다."

그가 내민 것은 솜이 들어간 도톰한 버선이었다. 결이 부드러
운 천이었는데 바느질은 참 엉망이었다.

"이런 것은 어디서 나셨습니까?"

"이곳에 올 때 챙겨온 것이다."

"누가 만들었기에 이렇게 엉망입니까?"

"그거야 모르지. 아무튼 신어보거라. 발이 너무 시려 보이니."

나는 짚신과 다 해어진 버선을 벗고 환이 준 버선을 신어보았

다. 바느질이 엉망이어서 볼품은 없었지만 발에는 딱 맞았다.

"잘 맞니?"

"예. 나리께는 작았을 것 같습니다."

무슨 나라님이었던 남자가 크기도 맞지 않는 버선을 챙겨 왔나 싶었다. 어지간히도 박대 받았나 보다 싶어서 코끝이 찡했다.

"그래. 그래서 주는 거니 걱정 말고 받거라. 아무튼 곧 해가 뜨겠구나."

"나가서 보시렵니까?"

"그래. 나가서 해를 기다리자."

그렇게 말하더니 환은 슬그머니 손을 내려 내 손을 잡았다. 보드랍고 따뜻한 손이었다.

"내가 도망갈지도 모르잖니."

환이 이상한 소리를 했다. 그래도 생각해보니 일리가 있어서 손을 놓지는 않았다.

절벽 끝에 서서 오른편을 보니 멀찍이 하늘이 붉어지고 있었다. 해가 오는 모양이었다.

"네가 건강하길 비마."

환이 말했다. 환이 선뜻 날 위해 소원을 빌어준다 했기에 나도 뭔가 그를 위한 소원을 빌어야 할 것 같았다.

"그럼 저는 무얼 빌어야 합니까?"

"너는 네 아비의 건강을 빌면 되겠구나."

"나리를 위해서는 안 빌어도 됩니까?"

"나 같은 사람을 위해 빌지 마라, 인화야."

"하지만, 나리께선⋯⋯."

"아, 해가 뜨는구나."

나는 서둘러 속으로 새해 소원을 빌었다.

아비가 건강하길. 그리고 환이 범에 물려 가지 않길.

정월 대보름에는 둘이서 부럼을 깨고 귀밝이술을 마셨다. 내가 먼저 땅콩 스물한 개를 깼다. 환이 슬며시 스물다섯 개쯤 깨물고 그만두려 하기에 그의 앞에 땅콩 여섯 개를 더 놓아주었다.

"나리. 부럼을 나이만큼 깨야 건강하답니다. 이가 아프시더라도 조금만 더 깨십시오."

"내가 이 나이에 벌써 이가 아플 리가 있겠니? 그냥 나이를 먹기 싫어서 그런다."

"먹기 싫다고 안 먹을 수 있으면 얼마나 좋겠습니까?"

"너도 참 야속하구나."

"나리께서 건강하시길 바라니 그럽니다."

환은 마지못해 부럼을 여섯 개 더 깼다.

"아, 나리."

"왜?"

"제 더위 사가십시오."

환이 웃었다.

"그래. 네 더위는 죄다 내가 사마. 응당 내가 사야지. 앞으로 매해 내가 죄다 살 테니 팔러 오거라."

매서를 하고 이렇게 화통한 반응은 처음이었다. 동네에 속없다는 오라비들도 매서를 당하고 나면 괜히 분해하곤 했는데 말이다. 역시 한때 나라님이었던 남자여서인지 배포가 남달랐다.

"혹시 더운 걸 좋아하십니까?"

"아니. 내가 좋아하는 건……."

환은 갑자기 말을 뚝 끊더니 술을 따라 내 앞에 놓았다.

"자, 귀밝이술이나 먹자."

"귀밝이술을 좋아하십니까?"

"그래."

"그래도 너무 많이 잡수시면 안 됩니다."

"그래. 아침 댓바람부터 취하고 싶지는 않구나."

술과 찬물을 마신 후, 환은 부엌으로 들어갔다. 영 불안해서 도와주겠다고 했더니 혼자 할 수 있다며 거절했다.

점심 무렵 그가 오곡밥을 나눠 먹자고 불렀다. 어쩐지 탄 맛이 났지만 그래도 밥이니까 그냥 먹었다.

배불리 먹은 후에는 절벽 앞에서 쥐불놀이를 했다.

"밝은 대낮에 하니 기분이 이상합니다."

"어쩔 수 없지. 네가 해가 지기 전에 가봐야 하니까."

나는 쥐불을 빙빙 돌리다가 눈 위로 던졌다. 불은 마른 잔디를 조금 태우다가 눈에 곧 꺼져버렸다.

환은 그 모습을 보더니 자신의 쥐불을 먼 바다로 던졌다. 쥐불이 길게 호를 그리며 바다로 낙하했다.

"나리. 왜 불을 바다에 던지십니까?"

"바다 너머로 던지고 싶었다."

그렇게 대답하며 환은 씁쓸하게 웃었다. 나는 그의 시선을 따라 먼 수평선을 바라보았다. 환은 저 수평선 너머의 세상에서 왔다.

섬에서 태어나 이곳에서만 살아온 나에게 육지는 미지의 땅이다. 그저 남들이 저 먼 수평선 너머 큰 세상이 있다고 말들 하기에 그런가 보다 믿고 살았다.

"나리. 저 너머 육지는 이 섬보다 많이 크지요?"

"그렇지."

환은 고개를 돌려 나를 내려다보았다.

"한 번도 가본 적 없니?"

"예."

"그러면……."

그가 말을 한참이나 잇지 않기에, 내가 먼저 물었다.

"돌아가고 싶으십니까?"

여태까지 유배 온 양반들은 언젠가는 육지로 돌아갔지만, 환은 너무 위험한 사람이라 여기서 끝내 목숨을 거두게 될 것이라 들었다.

"들어가자, 아가. 바람이 너무 차구나."

환은 끝내 답을 주지 않고 돌아섰다.

새해가 오고 정월 대보름이 지나고 입춘을 넘어 개구리 울음소리가 들리는 경칩까지, 우리는 매일을 함께 보냈다. 겨울을 지내는 동안 환은 나에게 수많은 시조를 들려주었다. 나는 시조는 잘 몰랐지만, 환의 목소리로 들으면 예삿말도 시처럼 아름답게 들린다는 것은 알았다.

승경도 놀이도 여러 번 더 했는데, 어쩐지 그가 번번이 유배를 가는 바람에 내가 승리했다. 그는 한 번이라도 나를 이겨보고 싶어 했지만, 거짓말 같이 한 판도 따내지 못했다. 나는 이제 환이 일일이 설명해주지 않아도 놀이판의 글자들이 무슨 의미인지 대강 알 수 있게 되었다.

"아가, 너 정말 총명하구나."

"매일 같이 이 놀이를 하자고 졸라대시니 안 외우고 배깁니까?"

그의 과도한 칭찬이 쑥스러워서 쏘아붙였더니 그는 민망한지 웃었다.

"내친 김에 너 글자 배워보지 않을래?"

환이 물었다. 글을 배운다는 건 생전 해본 적 없는 생각이었다. 글자라는 건 대단한 양반들이나 익히는 것 아닌가. 우리 같은 상것들은 글자 한두 자만 제대로 쓰고 읽어도 으스대기 바쁘다.

"제가 그런 걸 할 수 있겠습니까?"

"당연하지. 너라면 굉장히 빨리 익힐 텐데."

환은 내 의사를 더 묻지도 않고 혼자 신나서 종이와 붓을 가져왔다.

"쉬운 것부터 해보자. 이건 밭이라는 뜻인데, 간단하게 생겼지?"

그는 종이 위에 슥슥 시범을 보여준 후 내게 붓을 넘겼다. 장단이나 맞춰주자는 생각에 붓을 쥐었다. 그러자 환은 가볍게 내 손등에 손을 올렸다.

"붓은 이렇게 들고."

그는 내 손을 쥐고 종이 위에 첫 획을 긋게 했다.

"나리, 이 정도는……."

저 혼자서도 할 수 있는데요.

"응?"

"아닙니다."

손등에 닿는 그의 손이 너무 따뜻하고 부드러워서 그만 입을 다물었다. 획을 그어가며 그의 팔과 내 팔이 몇 번 가볍게 스쳤다. 그때마다 뜀박질이라도 한 것처럼 심장이 세차게 뛰었다.

어째서일까. 그도 나도 한마디 말이 없었다. 종이 위에 붓이 스치는 야들야들한 소리만 침묵 속에 울렸다.

마침내 마지막 획을 긋고 그의 손이 떨어졌다.

"할 수 있겠지?"

환이 미소를 띠고 물었다. 나는 묵묵히 고개를 끄덕였다.

좀 더 어려운 글자면 좋을 뻔했다.

이후로도 환은 쉬운 글자 몇 개를 더 가르쳐주었지만 다시 손을 잡는 일은 없었다.

그날부터 환은 하루에 한두 개씩 글자를 가르쳐주었다. 덕분에 나중에는 제법 많은 글자를 익힐 수 있었다. 처음에는 감을 잡지 못해 서툴게 썼지만, 이내 그와 엇비슷하게 쓸 수 있게 되었다. 글씨 연습이 끝나고 나면 그는 기다렸다는 듯 놀이판과 윷목을 꺼내왔다.

놀이를 시작하면 벌칙으로 그와 나는 연거푸 술을 마셨고, 결국 그는 취해서 횡설수설하며 내게 몸을 기대어왔다. 나는 그를 밀어내지 않았다.

태어나 제대로 무언가를 손에 쥐어본 적 없는 나는 상실의 깊이를 이해하지 못한다. 다만 술에 취해 이 천한 것에게서 위안을 찾는 그의 모습이 가여웠다.

그는 늘 나를 품에 안고, 아가, 오늘은 자고 가련, 하고 속삭였다. 하지만 기다리는 아비의 이야기를 하면 늘 순순히 나를 보내주었다. 그가 팔을 풀어준 후에도 나는 잠시 더 그의 품에서 꼼지락대다 몸을 일으키곤 했다.

환은 다음 날이 되면 자신이 취해서 한 행동을 전혀 기억하지 못하는 것 같았다. 나 역시 그 편이 다행이라 여겼다.

나도 천치는 아니었다. 우리 두 사람이 이 이상의 관계가 될 수 없으리라는 사실은 너무 잘 알고 있었다.

그래서 그의 망각과 고독에 기대어 몇 번이고 따뜻한 품을 느끼고 싶었는지도 몰랐다.

그 작고 안락한 방은 우리 둘만의 세계이자, 환에게 유일하게 허락된 세계였다. 환은 겨울은 밤이 너무 길다며 투덜댔고, 홀로 보내는 겨울밤이 얼마나 외로운지 토로했다.

"어서 날이 길어져서 너와 좀 더 있으면 좋겠구나, 인화야."

그가 자상한 미소로 말했다.

❋❋❋❋

초봄의 미지근한 기운이 땅에서 올라오던 날이었다. 환과 나는 마루에 앉아 있었다. 관아에서는 내게 언제까지 이 역을 져야 하는지 도무지 말해주지 않았다.

"네게는 나쁜 말이다만 나는 이대로 그들이 너와 나를 잊었으면 좋겠구나."

환이 말했다. 나도 내심 그랬으면 하고 바랐다. 환과 나는 이 대로 나이를 한 살 한 살 먹어가는 것이다. 세상이 뒤집히지 않는 이상 환은 이곳에 있을 것이고, 나도 이 섬에서 죽을 것이다. 우리 는 매일 이렇게 함께 먼 바다를 바라보며, 달과 해가 한 하늘에서 멀찍이 떨어져 순행하듯이 서로에게 가깝지도 멀지도 않은 거리 로 떨어져 앉아, 각자의 목숨을 조금씩 풍화시키는 것이다.

---

1) 이조년 시조

3장

그리워해선 안 될 사람

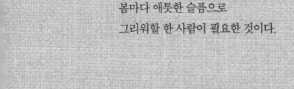

설령 곁에 남을 수 없더라도,
봄마다 애틋한 슬픔으로
그리워할 한 사람이 필요한 것이다.

언제까지나 계속될 것 같던 나날들
은 한순간에 산산조각이 났다.

누군가 바삐 비탈을 달려오는 소리가 들렸다. 환이 이 섬에 유
배당한 이래 처음 있는 일이었다. 그때 나는 환과 마루에 앉아 노
닥이고 있었다. 나는 얼른 나가 대문을 잠그고 원래 거기 서 있던
양 고개를 뻣뻣이 들었다. 한데 찾아온 이는 관원이 아니었다.

"삼월아, 삼월아!"

귀에 익은 목소리라 생각했더니, 나와 동갑내기인 동네 계집
아이였다. 작년에 시집을 간 이후로는 서로 마주칠 기회가 없었
다. 어찌나 급히 뛰어왔는지, 얼굴이 터질 듯 빨갰다. 무언가 좋지
않은 예감이 들었다.

"너희 아버지, 아버지. 지금 관아에 계셔. 빨리 가봐."

그녀가 숨을 헐떡이며 말했다. 까닭을 물을 틈도, 환에게 인사를 할 틈도 없었다. 나는 창을 내던지고 관아로 내달렸다. 숨이 턱 끝까지 차올랐지만 멈출 수 없었다.

어떻게 관아까지 갔는지 잘 기억이 나지 않는다.

제정신이 아닌 채로 관아에 도착했을 때 아비는 이미 반쯤 송장이 되어 있었다. 반죽음이 된 아비를 나졸들이 사정없이 곤장으로 내리쳤다.

"그만! 그만하십시오!"

나는 달려가 몸으로 아비의 몸을 덮었다.

아비는 내가 입혀준 솜옷을 입고 있었다. 환이 준 솜옷은 오물과 피로 젖었다.

"대체 무슨 이유로 이러십니까?"

나는 비명처럼 소리를 질렀다.

"네 아비의 죄를 모르느냐?"

"매병에 걸려 매일 집에만 있는 사람입니다. 무슨 죄가 있단 말입니까?"

"고발이 들어왔다!"

형방이 날카롭게 아비의 죄를 읊었다.

아비가 솜옷을 입고 다니는 것을 수상하게 여긴 덕이가 그가 옷을 도둑질했다고 관아에 고발했다는 것이었다.

덕이는 형방 옆에 서서 히죽거리고 있었다.

"도둑질한 것이 아닙니다!"

"무슨 소리냐? 네 아비가 이미 시인했거늘!"

아무것도 모르는 어린 아이 같은 아비는 관아에서 추궁을 당하자, 겁에 질려 짓지도 않은 죄를 지었다고 고개를 주억거린 모양이었다. 허약할 대로 허약해진 그의 몸이 태형을 견디지 못할 것은 뻔한 일이었다.

"정말로 아비가 도둑질한 것이 아니란 말입니다!"

"그럼 그 옷이 어디서 났단 말이냐? 네가 훔쳤느냐?"

"나리께서 주신 겁니다!"

나리라는 말에 형방이 흠칫 어깨를 떨었다. 덕이도 나를 이상할 정도로 뚫어져라 보았다. 형방은 수령에게 다가가 무어라 쑥덕거렸다. 그러더니 한층 더 언성을 높였다.

"헛소리하지 마라! 그분이 왜 네게 그런 걸 주신단 말이냐? 틀림없이 훔친 것이다!"

"아닙니다! 나리께 여쭤보십시오!"

"여쭐 것도 없다!"

"한 번만, 한 번만 가서 여쭤보시면 되지 않습니까? 한 번만!"

"시끄럽다! 비키지 않으면 그냥 곤장을 치겠다!"

"죄가 없는데 어찌 이러십니까?"

"쳐라!"

눈앞이 번쩍했다. 포졸들은 사정없이 곤장으로 내 몸을 내리쳤다. 넓적한 매가 내 몸을 뚫고 들어오는 것 같았다. 몇 대 만에 등가죽이 터져나갔다. 고통스러웠지만 비킬 수는 없었다.

"억울합니다! 저희는 죄가……"

고통 때문에 변론의 말이 울부짖음으로 변했다.

그래도 나는 계속 버텼다. 지금이라도, 지금이라도 아비를 데리고 빠져나가면 살릴 수 있다고 믿었다.

그 순간이었다.

내 몸 아래 깔린 아비의 몸에서 혼백이 빠져나가는 것이 느껴졌다. 그의 몸이 형틀에 축 늘어졌다.

"그만해라."

형방의 말에 포졸들이 매질을 멈추었다.

나는 아비의 시신을 안고 하늘을 향해 울었다. 누구라도 좀 들으라고 울부짖었다. 공허한 하늘은 울음소리를 묵묵히 삼켜버렸다.

장사도 지내지 않고 아비를 묻었다. 산 높은 곳, 아무도 찾지 못할 곳이었다. 손이 터지고 손톱이 빠지도록 혼자서 흙을 팠다.

아비의 무덤 앞에 앉아 아래를 내려다보니 이 섬이 너무도 작았다. 이곳은 나에게도 감옥이었다. 그러나 설령 내가 저 바다를 건넌다 해도 여전히 세상은 나에게 지옥도일 것이다. 가난하고 천한 이들에게 극락은 없다.

밤이면 혼자 술을 마셨다. 아무 맛도 느껴지지 않았다. 아비는 어차피 얼마 못 가 죽을 것으로 생각했다. 오랜 투병에 나도 지쳤다. 그러나 그런 식으로 죽기를 바라지는 않았다. 억울하고 억울해서 술을 계속 마셨다. 그제야 환이 왜 그토록 애타게 술을 찾았는지 깨달았다.

그 역시 무언가가 억울했던 것이다.

울컥 환이 그리워졌다. 이전에도 이런저런 사람들을 그리워했지만, 그때는 지금처럼 가슴 아리고 슬프지 않았다. 내가 알던 그리움은 늘 아련히 피어나는 아지랑이 같은 것이었지, 이렇게 온몸을 쑤시는 칼날 같은 것이 아니었다. 환의 목소리가, 그의 자상한 어투가, 괴로워 보이는 눈동자가 사무치게 보고 싶었다. 다시 그의 곁으로 돌아가, 우리의 작은 세계를 완성하고 싶었다.

하지만 어디까지나 생각뿐, 정말로 환을 찾아갈 수는 없었다. 환에게 가려고 할 때면 아비의 마지막 모습이 떠올랐다. 피로 젖은 솜옷이 떠올랐다.

분명 내가 분수를 몰랐기 때문에 이런 일이 일어난 것이다. 환과 내가 어떻게 한 세상의 사람이 된단 말인가. 그런데 나도 모르게 선을 넘었던 것이다. 처음에는 불쌍해서, 나중에는 그를 보기만 해도 기분이 좋아서. 술 취한 그에게 안기고 도둑처럼 빠져나오던 길, 자꾸만 가슴이 뜨거워져서.

나는 환이 생각나서 술을 먹다가 환을 잊기 위해 술을 먹기를 반복했다. 이대로 진창에 고꾸라져 횡사해도 그만이라 여겼다.

아비가 죽고 아비의 역도 사라졌다. 나는 낡아 빠진 군졸 옷을 관아에 반납해야 했다. 하지만 대문 열쇠는 비탈을 급히 오가다 어딘가에 흘렸다고 거짓으로 고하고 빼돌렸다. 이것을 언제 쓸지는 몰라도 그냥 갖고 있고 싶었다. 나마저 열쇠가 없으면 환은 평생 그 초가에서 한 발짝도 나오지 못할 테니까.

찾아갈 용기도 없는 주제에 열쇠는 궤짝 속에 잘 보관해두었다.

덕이가 새로운 감시병으로 역을 지게 됐다는 소식을 들었다. 마을 사람들은 별스러운 일이라고 수군댔다. 이제까지 덕이는 제 부친의 돈으로 군역을 모조리 뺐다. 수령도 덕이네 집안과 친한지라 더 따져 묻지 않았다. 그런 덕이가 자진해서 나섰다고 하니 여간 수상한 것이 아니었다. 동네 어른들은 덕이도 조금은 사람이 된 게 아니겠냐고 했지만 나로서는 그렇게 좋게 생각되지 않았다.

그런 생각을 하던 차에 집 앞에서 군졸 옷을 입은 덕이와 마주쳤다. 역을 마치고 귀가하는 길인 모양이었다.

"니미랄."

덕이는 인사 대신 욕지거리를 내뱉었다.

"좋겠다, 너는. 계집애라 역을 안 져도 돼서. 매일 아침마다 지긋지긋하다."

웃기는 소리다. 저게 허구한 날 돈으로 군역을 빼던 사람 입에서 나올 말인지.

"근데 너 지난번에 그 옷 나리께 받았다는 게 참말이냐?"

나는 고개를 쳐들고 그를 노려보았다. 내 아비가 누구의 거짓 고발로 죽었는데 저렇게 뻔뻔한지 기가 찼다.

"동네 사람들이 네 형편 빤히 아는데 그런 걸 갖고 있으면 당연히 의심하지 않겠냐? 그러게 오해받을 일을 왜 해서는."

"시끄럽다."

안타깝게도 나는 헛소리를 곱게 들어줄 마음의 여유가 없었다.

"그런데 나리께선 왜 네게 그런 것을 줬다니?"

"참견 마라."

머쓱하라고 쏘아붙였는데도 덕이는 대화를 끊지 않았다.

"너 그분이랑 친하니? 이야기 좀 듣자."

"싫다."

덕이가 잡기 전에 얼른 집으로 들어가 방문을 걸어 잠갔다.

방은 어두웠다. 나는 이불을 머리끝까지 뒤집어쓰고 뒤척였다. 덕이가 환에 대해 캐묻던 말들이 자꾸만 떠올랐다. 환의 이야기를 할 때 덕이의 눈빛은 먹이를 찾는 삵처럼 광채를 냈다. 혹 덕이가 내 아비를 고발한 것처럼 괜한 시비를 걸어 환을 괴롭히면 어쩌나 근심이 들었다.

환을 만나러 가야 할까. 만나서 덕이를 조심하라고 말을 해줘야 하는 게 아닐까. 하지만 어떻게 이야기를 하면 좋을까.

하다못해 안부라도 알고 싶었다.

그에 대해 생각하자 가슴 한편이 몽글몽글 뭉쳐온다. 이 감정이 그리움이라는 것을 깨닫기까지는 오래 걸리지 않았다.

환이 보고 싶었다. 봄이 오면 그 혼자 마루에 앉아 부드러운 목소리로 시조를 읊을지 궁금했다.

다음 날 밤, 아비의 무덤에 들렀다가 환이 사는 절벽으로 향했다.

이게 다 덕이 놈 때문이다. 그놈이 이상한 소리를 해댄 탓에 하루 종일 마음이 쓰여 일을 제대로 할 수가 없었다. 그렇다고 환을 만나자고 생각한 것은 아니었다. 그냥 잘 지내는지만 슬쩍 확인하고 와도 마음이 좀 놓일 것 같았다.

겨울이 갔는데도 밤바람은 아직 차다. 어쩌면 평소보다 깊은 어둠 때문에 오한이 드는 지도 몰랐다.

어두운 비탈을 올라가니 외로운 초가삼간이 보였다. 해가 진

후였기에 덕이는 가고 없었다.

지난날 같이 바라보았던 마른 가지에는 어느덧 새하얀 배꽃 봉우리가 눈송이처럼 맺혀 있었다.

나는 살금살금 발소리를 죽이고 담벼락 쪽으로 다가갔다. 아직 환의 방에서는 불빛이 새어 나오고 있었다. 기침 소리가 간헐적으로 들리는 걸 보니 고뿔이라도 걸린 모양이었다.

겨울에 감기 한 번 안 앓던 사람이 봄에 고뿔이라니.

영 신경이 쓰였지만 기척을 낼 수는 없어 조금 머물다 돌아왔다.

집으로 들어오는데 또 덕이와 마주쳤다. 그는 역을 마치고 동네 주막에서 술이라도 얼근히 마신 모양이었다. 얼굴이 시뻘겠다.

"어디 다녀와?"

"알 거 없다."

나는 그를 지나쳐 집으로 들어갔다. 등 뒤로 그의 시선이 느껴졌다.

"삼월아."

"왜?"

"건넛마을에서 누가 범을 봤다더라. 늦게 돌아다니지 마라."

"겨울도 아니고 이제 봄이라 먹을 것도 많을 텐데 마을까지 내려오겠어?"

"모르지. 그 절벽에는 나타날지도."

덕이의 말에 가슴이 쿵 내려앉는 것 같았다.

"나랑은 상관없는 일이다."

나는 애써 덤덤하게 대답하고는 집으로 들어왔다.

덕이가 괜한 겁을 주는 것이다. 그렇게 애써 마음을 진정시키려 해도 심장이 불안하게 날뛰었다. 환과 다시 만날 수 없다 하더라도 그가 다치는 것은 싫었다.

캄캄한 방에서 억지로 눈을 감으니 환의 품이 떠올랐다. 그때 그는 많이 취했다. 그냥 취기에 실수를 한 것뿐이다. 그런데도 그 순간을 지울 수가 없었다.

뺨에 닿던 온기가 너무 따뜻해서, 그 감촉이 마음을 다 녹이듯 부드러워서.

더 큰 욕심은 내지 않을 테니 환에게는 아무 일도 없게 해달라고 기도하다 잠이 들었다.

🌑🌒🌓🌔

무슨 바람이 들었는지 아침 일찍 일어나자마자 의원에 가서 고뿔 약을 샀다. 다행히 환이 주었던 엽전이 조금 남아 있어서, 그 돈 안에서 살 수 있었다.

다시는 환을 그리지 않겠다고 다짐해놓고는 나도 내 마음의 갈피를 잡지 못했다.

저녁이 되길 기다렸다. 해가 진 후에는 덕이가 지키고 있지 않을 테니, 살짝 약만 두고 오면 될 것이다. 환이 보고 싶어서가 아니다. 그냥 봄 고뿔이 독하다기에 이러는 것뿐이다.

한참을 고민하다 궤짝 속에 넣어두었던 열쇠도 꺼냈다. 고을 관아의 인장이 열쇠 손잡이 부분에 선명히 새겨져 있었다. 혹 우연찮게 환을 마주친다면 잠시 문을 열어주는 것쯤은 괜찮지 않을까.

그런 우연이 일어났으면 좋겠다고 생각하며 초가로 향했다.

그러나 내 기대와 달리 환은 오늘 일찍 자리에 든 모양이었다. 불도 꺼져 있고, 파도 소리만 스산했다. 나는 얄팍한 천으로 꽁꽁 싼 고뿔 약을 담장 너머로 힘껏 던졌다. 약이 벽에 부딪치며 툭 마루에 떨어졌다. 이 정도면 내일 환이 무사히 약을 발견할 것이다.

얼굴을 보지 못한 것은 아쉬웠지만 한편으로는 차라리 잘되었다는 생각이 들었다.

다시 마주치면 서먹할지도 모른다. 그럴 바에는 서로 좋은 기억으로 남는 것이 낫다.

터덜터덜 비탈을 내려왔다. 봄이 오기는 왔는지, 모가지째 떨어진 목련이 흙길 여기저기를 나뒹굴었다.

그때였다.

바스락.

비탈 아래에서 발자국 소리가 들렸다.

범인가.

나는 긴장해서 어깨를 웅크렸다.

"삼월아."

덕이였다.

"덕이 너 여기 올 시간도 아닌데 여긴 웬일이니?"

"내가 할 말이다. 삼월이 너는 역이 끝난 지가 언젠데……."

덕이가 갑자기 내 손목을 잡아챘다. 인적 하나 없는 어두운 산
길이였다. 나는 덜컥 겁이 났다. 요새 덕이는 이상할 정도로 내 주
위를 알짱댔다.

하지만 덕이는 그 이상 위협적인 행동을 하지는 않았다. 대신
집요하게 질문을 해대기 시작했다.

"너 나리랑 무슨 관계냐?"

"관계는 무슨."

"너 어제도 여기 다녀온 거지? 둘이 뭔가 있지?"

"아니다."

"그럼 네가 이 늦은 시간에 왜 여기 있냐?"

"그건………."

"나리를 뵈러 온 거 아니냐?"

"아니다."

"그럼 저 위에 무엇이 있다고 여기 왔어?"

끊임없이 이어지는 질문에 숨이 턱 막혔다.

"왜 대답을 못해?"

덕이는 어떻게든 내 대답을 듣겠다는 듯 나를 닦달했다.

"이곳까지 왜 왔느냐는 말이야."

그가 언성을 높였다. 나는 한숨을 푹 내쉬고 답했다.

"……달을 보러 왔지."

"뭐?"

"절벽에 뜬 달을 보러 온 거라고."

"그걸 지금 말이라고 하니?"

"일단 이거나 놔."

나는 손목을 빼려 안간힘을 썼지만, 그럴수록 덕이는 더 아프게 손목을 쥐었다.

"너 솔직히 말해라."

"뭘 솔직히 말해?"

"둘 사이에 뭔가 있는 게지?"

"네 머릿속엔 그런 것밖에 없니?"

"이 오밤중에 계집애가 사내가 있는 곳을 드나드는데 누군들 이렇게 생각 안 할까?"

"말 함부로 하지 마라. 네가 생각하는 그런 거 아니니까."

"여기까지 온 걸 보면 뻔하지. 너 완전히 미쳤구나. 저 사람이 누군지 알고."

환이 누구인지는 내가 더 잘 안다. 그는 무서운 잘못을 하고 왕좌에서 쫓겨난 죄인이다. 그의 죄가 무엇인지 몰라도 세상이 뒤집힐 만한 잘못이었으니 결코 작지는 않았을 것이다. 나와는 도저히 엮일 수 없는 인연인 것도 안다. 그러니 그를 불러내지 못하고 도망치듯 그 절벽을 내려온 것이다.

"너야말로 멋대로 남 뒤를 밟은 거야?"

"말 돌리지 말고 무슨 사이인지 말해라."

덕이와 내가 그 자리에서 답도 없는 말다툼을 이어가고 있을 때였다. 비탈길 위에서 갑자기 말소리가 들렸다.

"뭐가 이렇게 시끄러운지."

그리운 목소리, 나는 고개를 돌렸다. 등불을 든 환이 비탈을 내려왔다.

"거기 손목 놓아주거라. 아녀자의 손목을 그리 함부로 잡는 게 아니다."

환의 말에도 덕이는 내 손목을 놓지 않았다.

"문은 어찌 여셨습니까? 분명 자물쇠를 채워두었을 텐데요."

덕이가 경계하는 투로 물었다.

"문을 열지는 않았지."

환은 내 곁에 와서 섰다. 자세히 보니 환의 손과 다리는 찢겨져 피가 나고 있었다. 가시덤불이 감긴 담벼락을 뛰어넘은 모양이었다.

"평소에도 이렇게 나다니십니까?"

"언사가 건방지구나."

환은 싸늘하게 받아친 후, 덕이의 팔뚝을 잡고 그의 손을 억지로 떼어냈다. 드디어 손목이 풀려났다.

"웃기지도 않네. 이빨 빠진 범 주제에."

덕이는 환이 잡았던 부분을 문지르며 중얼거렸다. 혼잣말 같았지만 환도 나도 똑똑히 들을 수 있는 크기의 목소리였다.

"덕이 너 말을⋯⋯."

"삼월이 넌 모르면 가만히 있어라. 넌 대체 저 양반이 왜 여기까지 왔는지 알긴 아니? 얼마나 큰 잘못을 해서 여기 온 줄 알아?"

말문이 막혔다. 나는 환의 죄에 대해 아는 바가 없었다. 얼마나 무서운 짓을 해야 나라님이었던 남자가 이런 섬 구석에 처박히는 걸까. 가늠할 수 없는 것에 대한 두려움이 몰려왔다.

덕이는 환을 노려보았다. 하지만 환은 아랑곳하지 않았다. 그는 나와 덕이를 번갈아 보더니, 내 소매를 잡고 자신 쪽으로 슬며시 끌어당겼다.

"길이 어두운데 마을 입구까지만 데려다주마."

방금 전과는 너무도 다르게 온기가 뚝뚝 묻어나는 목소리였다. 같은 사람인지 의심스러울 정도였다.

"안 됩니다, 나리. 나오시면 안 되는 거 아시지 않습니까?"

나는 놀라 고개를 내저었다. 안 그래도 환을 대하는 덕이의 태도가 심상치 않은데 시빗거리를 줘서는 안 됐다. 아니, 어쩌면 이렇게 나온 것만 해도 문제가 될지 모른다.

"어차피 법을 어겼는데 이 비탈에서 돌아가나, 마을 입구에서 돌아가나 무엇이 다를까? 내려가자. 내가 도망갈 마음도 없다는 건 네가 잘 알 것 아니냐?"

환은 등불을 들고 앞서 비탈을 내려갔다.

"마음대로 하십시오."

덕이의 입가에 기묘한 미소가 번졌다.

"아가. 네 역이 끝나고 처음 보는구나."

환은 덕이를 없다손 치기로 한 것인지, 내 곁에 붙어서서 말을 걸었다.

"아, 예."

"여기는 어쩐 일로 왔니?"

"달이 밝아서 보러 왔습니다."

"그래, 달이라."

환은 더 묻지 않았다.

"그런데 아가, 어떻게 여기까지 와서 인사도 안 하고 돌아가려 했니?"

환이 나를 슬쩍 내려다보았다.

"시간이 너무 늦어 그랬습니다. 죄송합니다."

"아니다, 죄송할 일은 아니지. 지난 번 일이 계속 신경 쓰였는데, 네가 건강해 보이니 다행이구나. 그럼 되었다."

지난 번 일이 무엇을 가리키는지 물으려 할 때였다. 갑자기 우렁찬 소리가 온 산을 뒤흔들었다.

범의 포효였다.

그리 멀지 않은 곳이었다. 우리는 일제히 발걸음을 멈췄다. 범이 다시 한번 울었다.

"범이다, 범!"

덕이는 혼비백산해서 우리 둘을 두고 비탈 아래로 내뺐다. 어찌나 빠른 속도였던지 덕이의 모습이 금방 시야에서 사라졌다. 환은 등불을 껐다. 어둠이 몰아치고 바람이 음산하게 웅웅 울었다.

"아가. 괜찮다. 아주 근처는 아니다."

환이 내 귓가에 작게 속삭였다. 내 몸은 덜덜 떨리고 있었다. 그가 나를 진정시키려는 듯 어깨를 끌어안고 다독였다.

"나리, 어떡합니까?"

"걱정 마라. 마을까지는 무사히 데려다주마."

"나리."

그건 안 된다. 환이 마을까지 데려다주겠다고 했을 때 덕이는 신나 보였다. 마치 환이 문제를 일으키길 기다리는 것 같았다.

"올라가십시오."

"어딜?"

"댁으로요."

"널 혼자 보낼 수는 없대도."

"어차피 내려가다 범을 마주치면 하나나 둘이나 죽기는 매한

가지인데요. 그리고 나리께서는 본래 거기에서 나오시면 안 됩니다. 아시잖아요."

"그러면……."

환이 머뭇거리던 차에 범이 다시 울었다. 좀 전보다 소리가 더 가까이 들렸다. 더 입씨름할 여유가 없었다.

"일단 같이 올라가자. 혼자 가는 건 너무 위험해."

"그래도……."

말을 마치기도 전에 다시 한번 범의 울음소리가 온 산을 쩌렁 쩌렁 울렸다.

가깝다.

나도 모르게 다리가 후들거렸다. 아무래도 이대로 내려가다간 범을 마주칠지도 모르겠단 생각이 들었다.

"어서 올라가자."

환의 목소리는 아까보다 다급했다.

"그러면 신세 좀 지겠습니다."

나는 환의 손을 탁 낚아채고 먼저 걸음을 뗐다. 우리는 발걸음을 죽이고 어두운 비탈을 올랐다.

초승달이 바다 위에 걸려 있었다. 나는 희미한 달빛에 의지해 자물쇠를 열었다. 열쇠를 들고 오길 천만다행이었다.

우리는 대문을 꼭꼭 닫고 방 안으로 들어와 방문도 잠갔다. 물론 호랑이가 정말 우리를 습격할 마음을 먹는다면 다 우스운 일일 테지만.

나는 방구석에 앉아 심호흡을 했다.

"아가. 괜찮니?"

환은 화로에 불을 붙였다. 혹시 빛이 새어 나갈지 모르니 등불은 따로 켜지 않았다.

얼마 떨어지지 않은 곳에서 또 범의 울음소리가 들렸다.

"횃대와 무기가 될 만한 걸 좀 가져오마. 활이라도 있었다면 좋았을 텐데."

환은 부엌에 가서 횃대와 부지깽이를 챙겨 왔다. 당연하지만 죄수인 그에게 이 이상 무기가 될 만한 물건은 지급되지 않았다.

"이런 걸로는 범을 못 잡습니다, 나리."

"잡을 필요는 없지. 네가 도망갈 시간만 벌면 되니까."

환이 곁에 와서 앉았다. 그는 떨리는 내 어깨를 감싸 안았다. 그의 호흡 역시 불안하게 흔들리고 있었다.

다시 범의 울음소리가 들렸다.

"아까보다 조금 멀어진 것 같습니다."

"그렇구나. 이대로 가버리면 좋을 텐데. 혹 범이 오거든 돌아보지 말고 빨리 뛰어야 한다."

환이 작은 목소리로 당부했다.

"그럼 나리는요?"

"내 걱정은 안 해도 된다. 그래봤자 산짐승인데 못 쫓을 것도 없지."

　말도 안 되는 소리다. 제 아무리 훌륭한 사냥꾼이라도 횃대와 부지깽이로 범을 잡을 수는 없었다.

　"그러니 내 걱정은 말고, 혹 범이 오거든 먼저 달아나거라."

　"나리를 두고 어떻게 도망갑니까?"

　"아가."

　환의 목소리가 어쩐지 슬프게 들렸다.

　"나는 여기서 사나 죽으나 별반 다르지 않단다. 그러니 죄책감 느낄 것 없다."

　아니다. 환은 아무것도 모른다.

　나는 죄책감 때문에 그를 두고 갈 수 없는 게 아니다. 나는 그저 이 세상에서 그가 사라지는 게 싫은 것이다.

　설령 곁에 남을 수 없더라도, 봄마다 애틋한 슬픔으로 그리워할 한 사람이 필요한 것이다.

　그런 말을 차마 하지 못하고 소리를 죽여 울었다. 내가 울기 시작하자 환은 당황해서 눈물을 닦아 주기 시작했다. 흙냄새가 배긴 했지만 여전히 부드러운 손길이었다.

　"어떻게 그렇게 야박한 말씀을 하십니까?"

　"아니다, 아가. 널 울리려고 한 말이 아니었다. 응? 아무렴 내가 세자로 자랐는데 호신도 못 배웠을까. 자신이 있어서 그러니 걱정하지 말거라."

나라님이었던 사람이라 그런지 거짓말도 아주 잘했다.

"그런 말을 믿으라고 하시는 겁니까?"

"믿으래도."

환은 나를 달래려는 듯 그의 품안에 넣고 등을 다독여주었다. 아직 곤장을 맞아 생긴 피멍이 아물지 않아 아팠다. 나도 모르게 짧은 신음을 흘렸다.

"인화야, 어디 다쳤니?"

"아닙니다."

나는 얼른 아프지 않은 척 허리를 폈다.

마침내 범의 울음소리가 점점 멀어지더니 이내 아주 흐려졌다. 긴장이 탁 풀리며 몸에 힘이 빠졌다.

"간 모양입니다."

"그래. 다행이구나."

환은 일어나 등불을 밝혔다. 오랜만에 보는 그의 얼굴은 전보다 조금 야윈 것 같았다.

"아가. 혹시 범이 또 나타날지 모르니 내일 날이 밝으면 내려가는 게 어떻겠니?"

나는 고개를 끄덕였다. 어차피 이제 아비도 죽었으니 꼬박꼬박 집에 돌아가야 할 이유도 없었다.

부엌 뒤에는 씻을 수 있는 물이 있었다. 흙먼지와 땀을 씻어낸 후 치마에 묻은 것들도 툭툭 털어냈다.

내가 먼저 씻고 난 다음에야 환이 부엌 뒤편으로 갔다. 그동안 나는 마당에 서서 밤바다를 바라보았다. 검은 밤바다가 일렁였다. 절벽에 부서지는 파도 소리가 쓸쓸했다.

같은 파도 소리인데도 왜 해가 없는 밤이면 더 구슬프게 들리는지 몰랐다.

환은 늘 이런 풍경을 홀로 바라보았겠구나. 이 소리를 들으며 서글퍼했겠구나.

"인화야."

환이 나를 불렀다. 바닷바람이 횡횡 불어서인지 그의 목소리가 불안하게 들렸다.

"왜 들어가지 않고 여기 있니?"

"바다를 보고 있었습니다."

내 말에 환은 먼 바다로 고개를 돌렸다. 나는 환과 밤바다가 닮았다는 생각을 했다. 어둡고 깊고 드넓고 외로웠다. 그리고 무엇보다 자꾸만 나를 끌어당겼다.

"밤바다는 늘 사람을 부르는 것 같지. 그렇지 않니?"

환은 마치 금방이라도 바다로 훌쩍 뛰어들 사람처럼 말했다.

"늦었으니 방에 들어가서 쉬렴. 봄이라 그리 쌀쌀하지도 않으니 난 마루에서 자도 괜찮을 것 같구나. 밤바다 소리를 가까이하고 자는 것도 운치가 있겠지."

"무슨 고뿔에 걸리신 분이 운치를 찾으십니까?"

황당했다.

"게다가 밖에서 주무시다 범이 나리를 물어 가면 어떡합니까?"

"오늘 밤에는 안 올 거다."

"그래도 들어와 계십시오. 자꾸 그러시면 저도 밖에서 밤을 새렵니다."

"아가, 어찌 이렇게 고집을 피우니?"

자기가 고집을 피우고 있다곤 생각 못 하나 보다.

"네가 불편하지 않을까 해서 이러는데."

"나리께서 밖에서 주무시는 게 수십 배는 더 불편합니다. 정 그러시면 제가 밖에서 자는 게 낫죠. 어떤 양반 나리가 저 같은 것에게 방을 내어주고 밖에서 밤을 나신답니까?"

"우리 사이에 반상의 구분은 별 의미가 없다 여겼는데."

환이 웃는 듯 찌푸리는 듯 눈살을 구겼다.

"아무튼 제 마음이 불편해서 그러니 밖에서 밤을 나지는 마십시오. 정 불편하실 것 같거든 제가 돌아가고요."

"……일단 귤피차 좀 끓여 오마. 들어가 있거라."

"예."

나는 태연한 척 대답한 후, 방에 들어와 심호흡을 했다. 방에는 이미 이불이 깔려 있었다. 내가 씻는 동안 환이 준비해둔 모양이었다. 등불 옆에 앉아 있으니 곧 환이 찻주전자를 가져왔다. 그는 따끈한 귤피차를 한 잔 따라주었다.

나는 잔을 후후 불어가며 마셨다. 몸이 한결 노곤해지는 느낌이었다.

"식사는 잘 챙겨 잡수셨습니까?"

"그래."

그도 차를 한 잔 비웠다.

"약도 달여 드셔야 할 텐데."

"괜찮다. 내일 일어나 먹으면 되니."

새삼스레 낯이라도 가리는 것인지, 환은 내 얼굴을 제대로 마주보지 못했다.

"벌써 시간이 늦었는데 피곤하지 않으십니까?"

"지금은 잠이 오지 않을 것 같은데."

하긴 범에게 쫓긴 다음이라 그런지 나도 쉽게 잠이 오지 않을 것 같았다.

"그럼 나리랑 자주 하던 놀이라도 할까요?"

"놀이? 아, 그거."

환의 얼굴이 별안간 환해졌다. 마치 구덩이에 빠졌다가 동아줄이라도 잡은 사람 같았다.

그게 그렇게 하고 싶었나.

그는 일어나 서랍장을 뒤적이더니 놀이판과 윷목을 가져왔다.

"아, 그런데 술이 없어서 어떡합니까? 다른 벌칙을 정할까요?"

"어떻게 할까?"

"한 대씩 때릴까요?"

"아니, 내가 어떻게 널 때리겠니?"

환이 당황한 듯 손을 내저었다.

"뭘 얼마나 세게 칠 생각이시길래. 손목이나 때리는 겁니다."

그가 영 내 말을 이해 못하는 얼굴이기에 시범을 보여주려 손을 끌어당겼다. 손바닥에 이리저리 긁힌 상처들이 눈에 띄었다. 흙먼지를 씻어낸 후라 상처가 더 선명하게 보였다.

시범을 보여준다는 것도 잊고 그의 손바닥을 손끝으로 쓸어내렸다. 간지럼을 타는지 그가 손가락을 움츠리더니 확 손을 뺐다.

"이건 별로 좋은 생각이 아닌 거 같은데……."

또 저런 눈빛이다. 어딘가 난감한 듯, 내가 대단한 일이라도 저질렀다는 듯한 눈빛.

"제가 잡아먹기라도 합니까?"

억울해서 한마디 했더니 그는 입을 다물고 고개만 저었다. 아무튼 손목을 때리려면 손이나 팔을 잡아야 하는데, 그때마다 저런 눈총을 받고 싶진 않았다.

"이건 안 되겠습니다, 나리. 다른 벌칙을 찾죠."

"그럼 뭐가 좋을까?"

"지는 쪽이 이기는 사람의 소원을 들어주는 걸로 하죠."

생각나는 것이 있어 이렇게 말을 꺼냈더니 그도 흔쾌히 동의했다. 보아하니 환도 내게 들어주었으면 하는 게 있는 모양이었다. 무엇일지 궁금했다.

놀이를 시작한 지 얼마 되지도 않아 그는 사약을 받았다.

"이전부터 생각한 건데 나리께선 정말 운이 없으십니다."

"아무래도 그런 것 같구나."

환이 한숨을 내쉬며 순순히 인정했다.

"노름은 안 하시는 게 좋겠습니다."

"그런 걸 할 사람으로 보이니?"

"저랑 놀이하실 때는 노름판에 마누라도 거실 것처럼 열심히 하시는데요."

내 농담에 환이 크게 웃음을 터트렸다. 알게 모르게 서먹하고 긴장되었던 분위기가 사르르 녹아내렸다.

"그럼 네 소원을 말해보렴."

"군말 없이 들어주셔야 합니다. 벌칙이니까요."

"그러마."

"괜한 소리 하지 마시고 오늘 밤은 여기서 주무십시오. 여기는 어쨌거나 나리의 댁인데, 자꾸 나가겠다 하시니 제가 불청객 같아 마음이 너무 불편합니다."

"다른 소원은 없니?"

"군말 없이 들어주신다지 않았습니까?"

환은 선뜻 답을 못하고 차로 목을 축였다. 술에 취했을 때는 먼저 자고 가란 말을 곧잘 하더니.

어쩌면 그건 그냥 주사였을지도 모른다. 아니, 분명 그랬을 것이다.

"그래. 신경 쓰이지 않게 조심하마."

이윽고 그가 대답했다. 이상하게 입가에 미소가 번졌다.

"나리도 참. 제가 뭐 나리께 해코지를 하겠습니까? 손끝 하나 대지 않을 테니 걱정 마십시오."

큰소리쳤지만 거짓말이었다. 그가 먼저 잠들면 아주 잠시 그의 뺨을 건드려볼지도 모른다. 환이 여기 있구나. 내가 이유도 모르고 그리워한 사람이 여기 있구나. 훔쳐낸 짧은 온기에 안도하고 새벽을 뒤척일 것이다.

범이 떠난 지 한참이 되었는데도 심장이 좀처럼 진정되질 않는다. 술을 마신 것도 아닌데 머리가 어지럽다.

"아, 그런데 네가 벌칙에 걸리면 그 소원을 물릴 수도 있는 거지?"

"예?"

"그럼 되겠구나. 계속하자."

"그럼 전 물리지 말라고 빌어야겠습니다."

"그래. 해보자. 누가 운이 좋은지."

환이 짓궂게 웃으며 내게 윷목을 건넸다.

나는 어떻게든 벌칙을 피하려 심혈을 기울여 윷목을 던졌고, 환도 마찬가지였다. 환은 첫 벌칙을 걸린 이후로 한 번도 벌칙에 걸리지 않았다. 심지어 나를 앞서가기까지 했다.

"이거 아무래도 이상한데요, 나리. 혹시 윷목에 뭔가 해두신 거 아닙니까?"

평소와 너무 다른 모습에 나는 의심스러운 눈초리로 윷목을 살피기까지 했다.

"간절해서 그런가 보다."

환이 씩 웃고 윷목을 던졌다.

그렇게 간절하게 내 소원을 물리고 싶다니. 아까 잠들면 살짝 뺨을 건드려보겠다는 생각은 취소다. 이렇게까지 싫어하는데 건드리면 내가 정말 몹쓸 인간이다.

신기하게도 놀이 한 판이 끝날 때까지 환은 한 번도 벌칙에 걸리지 않았다. 나도 아슬아슬하게 벌칙은 피했다. 하지만 결국 최후의 승자가 환이었기에 그의 소원 하나를 들어주어야 했다.

"드디어 이겨보네."

환은 잠시 혼자 승리의 기쁨을 만끽했다. 저렇게까지 기뻐하는 걸 보니 가끔 져줄걸 후회가 들었다.

"이제 네가 내 부탁을 들어줘야지."

"예, 말씀하십시오."

보나마나 아까 그 소원을 물리자고 하겠지. 모르겠다. 고뿔이 더 심해지든 말든 제 알아서 할 일이다.

괜히 기분이 상해서 불퉁하게 그를 바라보았다. 환은 주저주저하더니 고개를 숙이고 입을 열었다.

"나를⋯⋯."

그는 한 마디를 던진 후 한참이나 침묵했다.

"뭡니까? 사람 궁금하게."

내가 못 참고 채근했다.

"일단 시간이 늦었으니 정리하고 이야기하자."

환은 갑자기 말을 돌리고 놀이판을 정리했다. 그가 방 정리를 하는 동안 나는 이불을 꺼내 잠자리를 만들었다.

환의 소원이 뭘까.

아무튼 순순히 잘 준비를 하는 걸 보니, 내 부탁을 물리려는 것 같지는 않았다.

"불 꺼도 되겠니?"

나는 고개를 끄덕이고 먼저 이불로 들어가 누웠다. 그는 내가 눕는 모습을 보고 등불을 껐다.

작은 방에 고요한 어둠이 차올랐다.

요 끝에 그가 누웠다. 자그마한 요 위가 참 넓기도 하다 싶었다. 우리는 서로 등을 돌린 채 대화를 나눴다.

"덕이는 괜찮을까요?"

"유감스럽게도 괜찮을 것 같구나."

덕이 이야기를 꺼내자 환의 목소리가 갑자기 날카로워졌다.

"그렇게 무섭게 말씀하시니 높으신 분 같습니다."

내 말에 환이 웃었다.

"그런데 아까 덕이 놈이 네게 무슨 해코지를 한 것은 아니지?"

"예. 귀찮게 굴기는 했지만 별다른 짓은 하지 않았습니다. 그래도 나리께서 안 오셨다면 곤란했을 겁니다."

그때 덕이는 어떻게든 자기가 원하는 답을 들을 때까지 나를 물고 늘어질 기세였다. 기분이 영 찝찝했다.

"저보다는 나리가 더 걱정입니다. 덕이가 자꾸 나리에 대해 캐묻는 게 마음에 걸립니다. 조심하십시오."

환은 별다른 말이 없었다. 갑자기 잠든 것은 아닐 테니 아마 나름의 생각에 잠긴 것일 테다. 환은 현명하니 덕이의 잔꾀에 쉽게 넘어갈 리 없겠지만, 워낙 약은 놈이라 무슨 트집을 잡을지 몰랐다.

"앞으로는 되도록 덕이랑 엮이지 마시고, 오늘처럼 나오지도 마시고요."

"알았다."

"자칫하다 크게 다치시면 어쩌시려고 거기를……."

문득 환의 손바닥에 남아 있던 상처가 떠올랐다. 가시덤불을 넘는 건 너무 무모했다. 나 같이 손바닥이 딱딱해도 생채기가 남을 정도로 뾰족한데, 환의 손은 나보다 훨씬 부드러우니 꽤나 아팠을 것 같았다.

"아까 다치신 곳은 어떠십니까?"

"괜찮다. 그리 깊은 상처도 아니고."

그러더니 환은 깊게 한숨을 내쉬었다.

"궁에 있을 때는 조금만 다쳐도 온갖 호들갑을 떨어 피곤했는데, 여기 오니 그런 사람이 없어 오히려 가뿐하고 좋구나."

"서운하십니까? 제가 호들갑을 떨어드릴까요?"

"아니, 됐다. 절대 그러지 마라. 이까짓 건 놔두면 낫는 상처잖니."

"그나저나 나리의 부탁이 뭡니까? 궁금합니다."

환은 잠시 말이 없었다. 내가 다시 채근하려던 차에 그가 입을 뗐다.

"인화야."

그의 목소리가 가볍게 떨린 듯도 했다.

"예."

"나를…… 용서해다오."

"예?"

환의 표정이 보고 싶어 몸을 돌려 누웠지만, 그는 여전히 내게 등을 돌리고 있었다.

"그게 내 소원이란다."

"나리께서 제게 잘못하신 적이 없는데요."

"아니, 있다."

환이 하도 단호하게 답하기에, 정말 그런 일이 있었나 싶어 기억을 더듬었다. 아무리 생각해도 환은 내게 잘해준 일밖에 없었다.

"없는 것 같습니다, 나리. 잘못이 없는데 어떻게 용서를 합니까?"

환은 깊은 한숨을 내쉰 후 뜻밖의 이야기를 꺼냈다.

"네 아비에게 일어난 일을 들었다, 인화야."

"나리, 그건……."

"다 나 때문이다."

묵직한 침묵이 흘렀다.

"그 일이 왜 나리 때문입니까?"

"내가 그 옷만 주지 않았어도……."

"아닙니다."

환이 자책하는 것이 듣기 괴로워 말을 끊었다.

"나리께선 그저 저에게 잘해주고 싶으셨던 것 아닙니까?"

"아니, 내 욕심이었지. 네가 그런 곤란을 겪을 줄도 모르고 그냥 내가 좋아서 줬던 것이니……."

"그럼 받은 제가 잘못이지요."

"아니, 내 생각이 짧았던 거야. 내 처지에……."

그는 더 말을 잇지 못했다.

"그래도 아비는 따뜻하다 했는데요."

나는 환을 위로하고 싶어 그의 등에 가만히 손바닥을 댔다.

"그거면 되었습니다."

손바닥으로 미세한 떨림과 열기가 전해져 왔다.

"그 일은, 그 이후의 일은……. 그냥 그리 흘러가버린 겁니다. 물살을 손으로 잡을 수 없듯이, 세상일은 사람이 막을 수 있는 게 아닙니다."

나는 정말로 그 일로 환을 원망한 적이 없었다. 그가 이렇게 생각하고 있을 줄은 꿈에도 몰랐다. 혼자 앓았을 그를 생각하니 진작 얼굴을 비출 걸 그랬다는 생각이 들었다. 한참 뒤 그가 다시 입을 열었다.

"관아에서 일이 있었다고 들었는데, 혹 다치지는 않았니?"

"지금은 괜찮습니다."

사실은 지금도 등허리의 상처가 욱신거렸지만 거짓말을 했다. 괜한 소리를 했다간 그를 더 서글프게 만들 것만 같았다. 환을 만나기 전에는 나라님들은 아주 피도 눈물도 없이 바싹 마른 짚단 허수아비 같은 인간들일 줄 알았는데, 환은 나보다 훨씬 마음이 여렸다.

"괜히 나 때문에 아무 잘못도 없는 너까지……."

그는 한도 끝도 없이 자책을 이어갔다. 하는 수 없이 나는 환에게 내 오랜 비밀을 고백하기로 했다.

"저 아무런 잘못 없는 게 아니에요, 나리. 저 사실요, 나리께서 술 사 오라고 주신 엽전 중에 몇 냥 빼돌려서 과자를 사 먹었습니다. 그러니까 제가 아무 잘못이 없는 건 아니에요."

내 말에 환이 웃었다. 그 부서지는 웃음소리가 좋았다.

"그리고 나리, 따지고 보면 그 일은 제 잘못입니다. 나리께서 주실 때 거절하지도 않았고요."

"인화야."

"아비에게 준 것도 저고요. 그리고 나리께서는 이 마을 사람들의 생각을 잘 모르시지 않습니까? 무슨 일이 일어날지 깊이 생각하지 못한 제 잘못이지요."

"넌 잘못한 게 없어. 내 잘못이지."

"그러니까 나리께선 잘못하신 게 없다니까요."

바보 같다. 실은 알고 있다. 환도 나도 잘못하지 않았다.

환은 그저 내게 호의를 베풀었을 뿐이고, 나는 그 호의를 아비와 나누었을 뿐이다.

"나리께서 잘못하신 거라면……."

서러워서 눈물이 북받쳤다.

환이 잘못한 거라면, 그날 매섭게 불던 바람도 잘못이다. 눈치 없이 내린 눈도 잘못이다. 그런 말을 하고 싶은데 계속 눈물만 나왔다.

환이 몸을 돌려 누웠다. 그가 손을 뻗어 내 눈물을 닦아주었다.

"그래서 난 네가 날 미워할 줄 알았다."

"……제가요?"

간신히 울음을 삼키고 되물었다.

"네가 그날로 걸음 한 번 하지 않았잖니."

"역이 끝났으니 올 일이 없었던 것뿐입니다."

오해를 풀려고 한 말이었는데 환은 더 서운한 목소리로 대꾸했다.

"그래도 한 번쯤 못 들를 거리도 아니고."

"나리가 미운 게 아니라 마음이 심란하여 그랬습니다."

"……그건 그럴 만하지."

환은 망설이다 또 물었다.

"그럼 아까도 내가 미워서 약만 던져두고 간 게 아니고?"

"미운 사람한테 약을 왜 사다줍니까?"

참 별스러운 생각을 다 한다. 환도 자신의 생각이 어이없다는 것을 깨달은 것인지 실소했다.

"나는 네가 다시는 안 올 줄 알았어."

"제 아비의 역은 끝났으니까요."

"그래. 네 역은 끝났다. 그런데 왜 다시 왔느냐?"

"그냥 나리가 어찌 지내시나 걱정이 돼서 왔습니다."

"걱정이라. 나를 걱정하는 사람은 너뿐일 거다."

"나리를 걱정하는 사람이 저뿐이어서 섭섭하십니까?"

"아니, 너 하나로도 고맙구나."

갑자기 고맙다는 말을 들으니 쑥스러웠다. 걱정이 뭐 별것도 아닌데 말이다.

내 뺨에 닿아 있던 그의 손이 살짝 떨어졌다. 나는 무의식적으로 온기를 좇아 그의 손에 다시 뺨을 붙였다.

"아……."

그의 입에서 작은 탄성이 흘러나왔다. 그의 손가락이 내 머리칼을 넘겼다. 열기가 감도는 귓가가 간질간질했다.

"나리."

내가 부르는 소리에 그는 화들짝 손을 뗐다. 그 손이 떨어진 게 퍽 아쉬웠다.

"아무튼 그 부탁은 못 들어드립니다. 나리께서 잘못하신 게 없지 않습니까? 그것 말고 다른 소원은 없습니까?"

"다른 거라……."

어둠에 눈이 익어가며 그의 표정이 어슴푸레 눈에 들어왔다. 그는 입술을 잘근거리다 내 눈을 응시했다.

"그럼 가끔은 이렇게 날 만나러 와줄 수 있겠니?"

그런 것쯤이야 어렵지도 않다. 그렇게 대답하려는데 환의 말이 이어졌다.

"그래야 내가 살 거 같거든."

무슨 이런 거창한 이유를 붙이나 싶어 웃음이 났다. 그런데 환은 웃지 않았다.

"농담하는 게 아니야. 널 못 만나는 동안 하루하루 타들어가는 것 같았어. 그러니까 되도록 오래, 자주……. 왜냐면……."

달이 기울며 창호지 너머로 희끄무레한 달빛이 스며들어왔다.

빛이 들자마자 그는 눈을 꾹 감아버렸다. 나는 달빛이 그린 그의 얼굴을 가만히 들여다보았다. 흰 피부, 반듯한 목선, 높은 콧대와 마른 입술. 그리고 무엇이 두려운지 좀처럼 뜰 줄 모르는 눈까지.

그가 다음 말을 해주었으면 했다.

그 말을 들으면 나도 내 답을 찾아낼 수 있을 것 같았다.

그러나 그는 끝내 다음 말을 털어놓지 않았고, 나도 답을 찾지 못하고 침묵했다.

내 침묵에서 무엇을 읽어낸 것인지 환의 입가에 쓸쓸한 미소가 번졌다.

"인화야."

환은 서서히 눈을 뜨더니 나를 똑바로 보았다. 눈이 마주친 순간, 우리 사이에 작은 풍랑이 인다고 생각했다.

"봄이 오면 꽃이 피듯, 가끔이라도 날 만나러 와줬으면 좋겠구나. 그 외에는 바라지 않으마."

가난한 청이었다.

양반집 아이들은 잠들기 전 옛날이야기를 들을지 몰라도, 이 섬의 아이들은 밤마다 세상에 대한 무서운 경고를 듣고 자란다.

바라지 마라. 욕심내지 마라. 세상이 밀물이면 너도 같이 밀려

오고, 세상이 썰물이면 너도 같이 쓸려가라.

"나리."

심장이 불안하게 요동쳤다.

그는 폐위되었으나 왕족이고, 나는 이제 천애 고아가 된 빈농이다.

우리는 누가 봐도 어울리지 않았다.

밤바다가 아무리 유혹적으로 철썩여도 뛰어들면 휩쓸려 죽고 만다. 마찬가지로 환과 선을 넘어버린다면 그 다음을 감당할 수 없을 테다.

그런데도 자꾸만 나는 절벽 끝에 서서 그 바다를 향해 뛰어들고 싶었다.

나는 그에게 손을 뻗었다. 차마 닿지는 못한 채, 손이 그의 가슴께를 방황했다.

"저는……."

말하면 안 된다.

말해야만 한다.

두 가지 판단이 동시에 나를 흔들었다. 나는 손을 그의 왼 가슴 아래 사뿐히 올렸다. 거세게 뛰는 그의 심장이 느껴졌다. 옷 위에 닿았을 뿐인데 그의 심장에 직접 닿은 듯한 착각이 들었다.

죽은 아비를 떠올렸다.

내 눈앞에 살아 있는 한 남자를 바라보았다.

살아 있는 사람끼리 할 수 있는 가장 아름다운 일이 무엇인지 생각했다.

나는 그의 가슴께의 옷을 꾹 쥐었다. 바스락, 천이 구겨지는 소리가 났다.

순간 환이 내 몸을 확 끌어안았다. 입술이 가볍게 맞닿았다 떨어졌다. 나는 숨도 쉬지 못한 채 가만히 멈춰 있었다. 숨결이 닿는 거리였다.

"인화야, 네가 좋아."

그 순간 입술에 닿던 옅은 숨결, 사근사근하던 목소리, 우리를 덮고 있던 두터운 어둠, 그리고 잠깐 감돌던 정적마저도 평생 잊지 못할 것이다. 깊숙이 숨겨두고 몰래몰래 곱씹다가, 죽는 날에도 이 순간을 돌이켜볼 것이라 생각했다.

"네가 좋아."

나는 손을 뻗어 그의 뒤통수를 살짝 당겼다. 다시 입술이 맞붙었다.

벌어진 입술 틈으로 그의 혀가 들어와 내 입안을 핥았다. 나는 간지러운 느낌에 혀를 뒤로 뺐다.

그는 내가 싫어 그를 피했다 여겼는지 당장 입술을 뗐다. 티 내지 않으려 서둘러 시선을 돌렸지만, 그의 눈빛은 영락없이 상처 받은 사람의 것이었다.

"산."

내가 붙여주고도 감히 한 번도 부르지 않았던 이름이었다. 괜히 가슴 깊숙한 곳이 근질거렸다.

그가 다시 나와 눈을 마주쳤다. 나는 홀린 것처럼 먼저 입술을 훔쳤다. 막상 혀가 들어오자 역시 이번에도 간지러워 뒤로 혀를 물려버렸다. 하지만 이번에는 환의 혀가 내 혀를 끈질기게 쫓았다. 그는 입술을 붙인 채 나를 눕히고 내 위에 올라탔다.

누구는 가난한 것들끼리 맺어져봤자 일생이 가난하고, 불행한 것들끼리 맺어져봤자 일생이 불행하다 했다.

환은 죄인이다. 그에게 일생 동안 허락된 공간은 이 초가집과 작은 마당이 전부다. 이 남자의 손을 잡는다면 나는 일생 그의 절망만을 헤아릴지도 모른다. 덕이는 내게 미쳤다고 했다. 덕이 뿐만 아니라 모두가 그렇게 생각할 테다.

그는 입술을 떼더니 내 귀를 핥았다. 그의 입술이 조금씩 아래로 내려가더니 목덜미에 닿았다. 간지러운 느낌에 요를 꽉 움켜쥐었다.

꽃처럼 한 철이 지나면 져버리는 열망이라 해도 지금은 그를 원했다.

나는 팔을 뻗어 그의 몸을 끌어안았다. 차라리 이렇게 두 구의 시신이 되어 서로를 부둥켜안고 강물에 떠내려갔으면 했다.

허벅지 부근을 딱딱한 것이 쿡쿡 찔렀다. 내가 허벅지로 그의 하초를 슬쩍 누르자, 환은 민망했는지 작게 웃었다. 온갖 가축들을 접붙이는 것은 봤어도 남자의 것을 직접 겪기는 처음이었다.

좀 신기하기는 했어도 무섭지는 않았다.

나는 스물하나가 되도록 사내를 겪어본 적이 없었다. 시집간 친구들이 종종 지아비 이야기를 할 때 들은 것이 전부였다. 누구는 정신을 놓을 만큼 좋다고 했고, 누구는 시시한 놀이라 했다. 환과 맞닿아 있기만 해도 이렇게 아찔한데 이 이상이 어떤 것일지 가늠할 수도 없었다.

몸이 뜨거웠다. 그와 더 가까워지고 싶었다. 해가 뜬 뒤의 일 같은 건 생각하고 싶지 않았다.

목덜미를 지분거리던 입술이 떨어졌다. 숨결과 정적만이 오갔다. 아무 말 없어도 서로를 원한다는 것을 알고 있었다.

오늘 밤 이후로 많은 것이 변하리라는 것도 알고 있었다.

그래도 좋았다.

"인화야."

"괜찮아요. 괜찮아요, 산."

나는 그의 품에 고개를 묻고 작게 대답했다.

환은 이번에는 선뜻 먼저 입술을 붙였다. 서로의 혼백을 다 들이켤 듯, 길고 진득한 입맞춤이 이어졌다.

그는 내 옷고름을 당겼다. 상의가 쉽게 벗겨졌다. 치마를 아래로 당기자 꽉 눌려 있던 젖가슴이 드러났다. 맨가슴에 닿는 공기가 찼다.

그는 몸을 내려 내 가슴을 물었다. 찬 공기 때문에 입술이 더 뜨겁게 느껴졌다. 젖꼭지를 간지럽히는 감각이 얼얼하고 야릇해서 나도 모르게 몸을 틀었다. 신음이 흘러나올 것 같아 아랫입술을 꽉 깨물었다. 그는 혀를 굴리며 치마끈을 마저 풀었다. 보잘 것 없는 천은 단번에 저편으로 치워졌다. 허전한 느낌에 허벅지를 꽉 붙였다.

그의 무릎이 내 허벅지 틈을 비집고 들어왔다. 그는 무릎으로 가랑이 사이를 꾹 눌렀다. 요의와 비슷한 이상한 느낌에 정신을 차릴 수가 없었다. 그의 손이 허리에 걸쳐진 속옷을 만지작거렸다.

나는 손을 내려 그의 손등을 꽉 잡았다. 그는 가슴에서 입술을 떼고 몸을 일으켜 내 얼굴을 내려다보았다.

"겁나니?"

"아뇨, 그건 아닌데……."

환과 하는 게 두려운 게 아니었다. 그저 처음 겪는 이 느낌이 너무 낯설었다.

그는 속옷을 마저 벗기는 대신, 내 손을 끌어 자신의 바지춤 안으로 넣었다. 단단한 기둥이 손바닥에 감겼다. 물건이 어찌나 뜨겁게 느껴지는지 놀랐다.

"힘들 거 같으면 지금 얘기해줄래? 여기서 더 하면 못 멈출 테니까."

환이 귓가에 속삭였다. 그의 목소리는 변함없이 부드럽고 아름다워서, 아래에서 만져지는 흉흉한 물건과는 괴리감이 느껴졌다. 그는 내 얼굴을 가볍게 쓰다듬었다.

"어때, 괜찮겠니?"

내가 고개를 끄덕이자 그는 손으로 내 손등을 덮었다. 그리고 그의 기둥을 쥐고 천천히 아래위로 쓸게 했다.

동네에서 말을 접붙일 때 그놈들의 양물을 본 적이 있다. 그때도 무지막지하게 크다고 생각했지만, 그놈들이야 원체 덩치가 크니 그렇구나 했다. 그런데 사람은 말처럼 몸집이 큰 것도 아닌데 이렇게 클 필요가 있나 싶었다. 물론 다행히 말의 것처럼 크지는 않았지만, 몸에 들어온다 생각하니 좀 무서웠다.

그래도 상상하던 것과 달리 표면은 부들부들하고 촉감이 좋았다. 만지는 건 얼마든 만질 수 있겠다 싶었다.

"읏……."

억눌린 듯한 신음이 들렸다.

"불편하세요?"

"아니, 아니. 좋아."

환의 숨이 점점 가빠졌다. 이상하게 나까지 숨이 차는 기분이었다. 그의 음경은 한층 더 경직되어 뼈처럼 단단해졌다. 신기한 마음에 꾹 쥐어보았다.

환은 숨을 훅 삼키더니 다급하게 내 손을 떼어냈다.

"아프세요?"

"아니, 그게 아니라……."

그는 말끝을 흐렸다. 환의 손이 내 사타구니 사이로 들어왔다. 그는 속옷 위로 음부를 가볍게 주물렀다.

"아, 나리……."

맨살끼리 닿은 게 아닌데도 낯부끄럽고 민망했다. 환은 내가 어쩔 줄 모르는 것을 알아챘는지, 달래듯 뺨에 입을 맞췄다.

"아프니?"

"아니요, 그냥 어떻게 해야 할지……."

"잘하고 있어."

얇은 천을 사이에 두고 느껴지는 느릿느릿한 손가락의 움직임이 야릇했다. 그의 손가락이 아래를 벌리는 느낌이 들더니, 살덩이 사이를 파고들었다. 그의 손이 닿은 부분에 야릇한 느낌이 들었다. 무엇인지도 모르는데 계속 느끼고 싶었다. 그가 아래를 좀 더 비볐다. 천이 안을 부드럽게 긁었다.

그는 갑자기 내 손을 아래로 끌었다. 그리고 사타구니 사이에 올리게 했다. 옷이 젖어 있어서 당황스러웠다.

그는 내 검지를 잡더니 옷감 위를 만져보게 했다. 천 아래 동그란 것이 볼록 나와 있었다. 멍든 부위처럼 건드리면 몸이 움찔거렸다. 아픈 것도 아닌데 머리가 어질하고 온몸의 감각이 그쪽으로 쏠리는 느낌이었다.

"아프지는 않지?"

환은 내 손가락 위에 손을 겹치고, 그 부위를 계속 어루만지게 했다. 손가락이 그것을 뱅글뱅글 돌릴수록 점점 가슴이 울렁거렸다. 아래가 당겼다. 처음 겪는 이상한 기분에 눈물이 핑 돌았다.

"네, 아프지는……."

아프지는 않은데 너무 이상하다고, 아래에서 무언가가 흘러나올 것만 같다고 말하려 했는데 창피해서 입술만 달싹였다.

"예쁘구나, 아가."

지금 내 모습은 내가 생각하기에도 이상한 것 같은데, 무엇이 예쁘다는 것인지 알 수 없었다.

젖은 천이 자꾸 아래에 달라붙어 자극적이었다. 환은 내 손을 놓아주었다. 이상하게 아쉬운 느낌이었다. 그렇다고 그의 앞에서 거기를 더 만지는 것도 창피했다. 그때 환이 손톱을 세워 아래를 긁었다.

"아……!"

밑에서 무언가 뜨거운 물이 밀려나오는 느낌이 들었다. 마음을 읽힌 듯해서 얼굴이 화끈거렸다. 그런데도 그의 손길에서 벗어날 수는 없었다.

"나리……."

"아가. 그렇게 부르지 말고 산이라고 불러줘. 네가 붙여준 그 이름이 더 좋아."

환이 속삭였다.

"산."

"응."

그는 아래를 점점 빠르게 문질렀다. 그럴수록 나는 낭떠러지로 몰리는 기분이 들었다. 몸이 어딘가로 떨어질 것만 같아 나도 모르게 그의 팔을 꽉 쥐었다.

"산, 그, 그만……."

몸이 자극을 견디지 못하고 자꾸 들썩이는데도 그는 나를 계속해서 몰아붙였다. 나는 느껴본 적 없는 것을 갈망하고 있었다. 아슬아슬하고 위태로운 쾌감이 내 온몸을 집어삼키는 것 같았다.

질척거리는 소리가 방안을 가득 채웠다.

"아……."

눈앞이 번쩍했다. 안에서 뜨거운 물이 왈칵 쏟아졌다. 아래가 경련했다. 나는 생소한 쾌감을 이겨내지 못하고 이불을 찢을 듯 움켜쥐었다. 절로 눈물이 흘렀다. 그제야 그는 손을 떼고 내 입술에 다정히 입을 맞췄다.

"벌써 울면 마음이 아프잖니."

아래에 그의 딱딱한 성기가 닿았다. 숨이 점점 가빠왔다. 흠뻑 젖은 아래가 그를 원한다는 걸 본능적으로 알 수 있었다. 아니, 온몸이 그를 원했다. 미친 듯 뛰는 심장에서부터 손등에 돋은 솜털까지 전부 그에게 주고 싶었고, 나 역시 그를 샅샅이 품고 싶었다.

환은 내 속옷을 마저 내렸다. 남 앞에 보인 적 없던 부분이 드러났다. 나도 모르게 다리를 모았다.

달이 기우는 모양이었다. 희미한 달빛이 창호지를 넘어 어둠의 장막을 한 뼘 더 걷었다.

그가 옷을 벗는 모습이 흐릿하게 보였다. 흠 하나 없는 도자기 같은 피부였다. 나도 모르게 넋을 놓고 그의 몸을 바라보았다. 보통 사내들보다 마르기는 했어도 골격이 좋았다. 아래에 붙은 성기도 자연 눈에 들어왔다. 좀 민망해져서 고개를 돌렸다.

그의 시선이 내 몸을 훑는 것이 느껴졌다. 집요하고 진득한 눈길이었다. 나쁜 짓이라도 하다 들킨 것처럼 양 뺨이 화끈거렸다.

그는 내 다리 사이에 자리를 잡았다. 그의 것이 아래를 열고 들어오려는 듯 툭툭 음문을 건드렸다.

그는 어정쩡하게 벌어진 내 다리를 들었다.

"허리에 감으면 좀 더 편할 거야."

나는 순순히 그의 말대로 다리를 감았다. 넓은 어깨와 달리 허리는 가늘었다.

"조금 아플 수도 있는데."

그는 그렇게 말하고는 아래에 손을 파묻었다.

"여기로 들어갈 거야."

살덩이가 벌어지는 느낌이 들었다. 손가락으로 아래를 벌린 모양이었다. 그냥 벌린 것뿐인데도 알싸하게 아팠다. 저절로 인상이 구겨졌다.

"괜찮겠니?"

환이 다시 물었다.

"네, 네."

정신없이 대답했다.

환은 손을 떼고 천천히 몸을 겹쳤다. 아까 벌어졌던 부근에 뭉 툭한 것이 닿았다. 나는 겁이 나서 환의 몸을 부둥켜안았다.

그의 것이 아래를 연다고 느낀 순간, 몰아치는 고통에 나는 본 능적으로 벗어나려 몸부림쳤다.

"산, 너무 아파서, 아……"

밀려들어온다. 아니, 박힌다. 그는 바들거리는 나를 꽉 붙잡고 억지로 내 몸을 열었다. 다리 사이로 그의 것이 조금씩 들어오는 것이 느껴졌다. 흡사 성기가 몸을 찢고 들어오는 것 같았다. 아래 가 불이라도 붙은 듯이 화끈거렸다. 환을 안고 있던 팔에 힘이 풀 리면서 툭 아래로 떨어졌다.

"거짓말……. 조금이라더니……"

나는 기어이 우는소리를 냈다.

"아가, 많이 아프니?"

그는 가슴 아픈 듯 물어보면서도 아래로는 느릿느릿 그의 것 을 계속 욱여넣었다. 아까보다 그의 숨소리가 더 가까이 들렸다.

"힘을 빼야 덜 아프지."

그는 내 허리께를 안마하듯 주물렀다. 젖꼭지에 그의 입술이 닿았다. 아래는 찢기듯 아프고, 위는 간지러웠다. 정신이 어질어질해졌다.

"하아······."

환은 젖에서 입술을 떼고 뜨거운 숨을 내쉬었다. 그의 것이 뿌리까지 박힌 모양이었다. 더 밀고 들어오지 않으니 차라리 견딜 만했다. 그와 꽉 맞닿은 아래가 타는 듯 뜨거웠다. 그는 그대로 한참이나 심호흡을 했다. 아래의 이물감이 조금씩 익숙해져갔다.

"인화야."

그는 나를 부르고, 이불 위로 손을 더듬어 내 손을 찾아 맞잡았다. 그의 손은 너무도 부드러웠다. 그래서 내 거친 손이 부끄러워졌다.

"나리랑 저는 손이 참, 다르네요."

환은 내 터진 손등 위에 입을 맞추었다.

"네 손이 더 좋아."

그는 내 손을 더 힘주어 잡았다. 내가 앓던 소리를 멈추자 그는 허리를 움직이기 시작했다. 안에서 그의 것이 부드럽게 왕복하는 것이 느껴졌다. 서로의 몸에서 흘러나오는 열기와 아래의 질척이는 소리가 정신을 아득하게 흐렸다. 환과 이렇게 잇닿아 있다는 것이 믿겨지지 않았다. 저속할지는 몰라도 암수가 마음을 잇는 방식은 이런 것이었다. 내가 다시 울음 소리를 내자 그가 뺨에 입을 맞췄다.

"아파?"

아파서 우는 것이 아니었다. 서글퍼서 울었다.

마을 여자애들은 빨래터에서 심심찮게 제가 연모하는 남자에
대한 수다를 떨었다. 어쩌다 입이라도 맞춘 다음 날에는 드디어
서로 마음을 확인했노라며 깔깔댔다.

그 애들은 미처 몰랐을 거다.

서로 마음을 확인해도 어쩔 수 없는 인연이 있다는 것을.

"더 부드럽게 할까?"

"네, 네."

그는 나를 안 듯 상체를 바짝 붙이고 좀 더 천천히 몸을 움직
였다. 나는 팔을 뻗어 그의 등을 쓸어내렸다.

이 밤을 보낸다 한들 우리가 무엇이 될 수는 없을 것이다. 그런
데도 그를 안지 않을 수 없었다. 넘쳐흐르는 열락의 안으로 손을
넣어보면 멍울진 슬픔이 잡힐 것만 같았다.

나는 그를 사랑했다. 그리고 그를 사랑한다는 사실이 두려웠다.

그의 것이 빠져나갔다. 이물감이 가시고 아픔도 덜해졌는데,
이상하게 아쉬운 기분이 들었다.

이게 끝인가 싶어 그를 올려다보니 그가 빙긋이 웃으며 내 뺨
을 쓸었다. 뺨에 번져 있던 눈물과 땀이 뭉그러졌다.

"계속 넣고 있으면 못 참을 것 같아서."

그는 손을 내려 아래를 만지작거리기 시작했다. 의지와 상관없이 허리가 휘었다.

잔뜩 젖어 질퍽거리는 소리가 났다. 조금만 더 하면 아까처럼 폭발하는 듯한 쾌감이 덮쳐올 것 같았다. 허벅지 안쪽에 힘이 들어갔다. 그때 그가 손을 뗐다.

안에 열이 고여 있는데, 터지기 직전에 멈춰버리니 괴로웠다. 나는 창피한 것도 모르고 그에게 칭얼댔다.

"훗, 산, 어떻게 좀……."

"인화야, 힘 빼고."

그는 음경을 다시 밀어 넣었다. 여전히 욱신욱신했지만 아까처럼 아프지 않았다. 빠른 속도로 기둥이 안을 들락날락했다. 툭 튀어나온 부분이 배 쪽의 어딘가를 긁을 때마다 몸이 튀었다.

그는 이상한 느낌이 드는 곳을 어찌 찾았는지, 그 부분만 음경 끝으로 문질렀다.

"흑, 산, 거기 그, 그만!"

"아까 못 멈출 거라 했잖니."

짓궂은 웃음이 귓가에 울렸다. 그는 내가 더 시비를 트지 못하도록 아래의 민감한 부분을 빠르게 치댔다. 야릇한 느낌에 정신을 차릴 수가 없었다. 이물감이 괴로운데도 자꾸만 원하게 된다. 이것이 쾌감인지 뭔지도 모르겠다. 강렬한 자극 때문인지, 아니면 환을 안고 있다는 만족감 때문인지, 나는 더 견디지 못하고 허리를 틀었다.

아래가 내 의지와 상관없이 멋대로 움찔대기 시작했다. 안에 들어온 그의 물건이 선명하게 느껴졌다.

"하……."

환이 괴로운 듯 눈을 꾹 감았다. 그는 내 몸을 부서질 듯 세게 안으며 허리를 움직였다. 나는 신음을 참아보려 이를 물었다. 그런데도 이 사이로 자꾸만 흐느끼는 것 같은 헤픈 소리가 흘러나왔다.

아래가 점점 뜨거워졌다. 그의 음경이 내벽을 긁는 느낌이 생생했다.

시야가 다시 흐려지더니, 아래에서부터 무언가가 터져 올라오는 느낌이 들었다. 사타구니 안쪽이 파르르 전율했다.

순간, 나를 안고 있는 환의 팔에 확 힘이 들어갔다. 달빛이 들어 그의 옆얼굴을 비쳤다. 찌푸린 눈살, 꽉 깨문 아랫입술, 평소보다 다소 상기된 뺨이 눈에 들어왔다. 그 흐드러진 표정을 보는 것만으로도 황홀했다.

꽉 맞붙은 아래 구멍에서 뜨거운 것이 흘러내리는 느낌이 들었다.

그는 몸을 빼지 않고 내 위에 쓰러지듯 기댔다. 숨소리가 거칠었다. 환의 이런 모습을 보는 게 낯설지만 좋았다. 조금 더 그가 내 앞에서 무너지길 바랐다.

"너무 좋아, 인화야. 너무……."

입술이 맞붙었다. 처음보다 훨씬 깊고 끈적이는 입맞춤이 이어졌다. 입맞춤만으로도 숨이 멎을 듯 고조된다. 나도 모르게 몸에 힘이 들어갔다. 아래에 물려 있던 그의 것이 다시 단단해졌다.

그는 내 가슴을 움켜쥐었다. 내 가슴은 그의 손에 반도 들어차지 않았다. 그렇게 만질 것이 있나 싶은데도 그는 집요하게 가슴을 주물렀다.

"너무 그렇게……."

"왜? 싫니?"

"그건 아니지만……. 별로 만질 것도 없는데요."

나는 부끄러움을 무릅쓰고 한 말인데, 환이 웃기 시작하니 좀 짜증이 났다. 그는 장난스럽게 손가락으로 유두를 긁었다.

"좋은데."

"뭐가 좋다는 건지 모르겠습니다."

"전부. 완벽하게. 너이기만 하면."

소리에도 온도라는 것이 있다면, 지금 그의 목소리는 펄펄 끓는 물처럼 뜨거울 것이다.

"그치만 보통은 좀 더……."

보통은 큰 편을 좋아하지 않나, 그런 말을 하려다가 내가 왜 이런 쓰잘데기 없는 고민을 하고 있지 싶어 관두었다. 시장 바닥이나 주막에서 주워들은 난잡한 이야기를 환의 앞에서 늘어놓고 싶지도 않았다.

"예쁜데."

적어도 환의 말에서 거짓이라곤 느껴지지 않았으니까.

그가 슬쩍 허리를 뒤로 뺐다. 깊이 박혀 있던 성기도 안을 긁으며 빠져나갔다. 끝만 아슬아슬하게 걸쳐졌다.

"계속해도 되겠지?"

나는 고개를 끄덕였다. 그는 다시 몸을 움직이기 시작했다. 그의 손가락이 내 머리칼에 엉겼다. 채 삼키지 못한 교성이 내 입에서 저절로 흘러나왔다. 그때마다 그는 강하게 몸을 쳐올렸다.

뜨거워진다. 다시 아무 생각도 할 수 없어진다. 어쩌면 환과 이래서는 안 되는 게 아닐까 덜컥 겁이 났다. 어린애처럼 목에 매달리자 환이 거의 내 상체를 들 듯 끌어안았다. 깊은 곳까지 닿았다.

여기, 이 안에 당신이 있다.

지금 이 순간만큼은 환이 마치 내 것인 것 같다.

❂❅❆(

새벽녘이 되었을 때는 거의 몸을 가누기가 힘들었다. 아래는 쓰라리고 가슴도 욱신거렸다. 하지만 그것보다는 가슴 속 깊은 곳이 더 아팠다.

가봐야 할 시간이었다.

간밤의 열기가 뜨거웠던 만큼 현실이 냉랭하게 느껴졌다. 아무리 몸을 섞고 서로를 갈구해도 그것뿐이었다. 나는 이곳에 있어서는 안 되는 사람이었다.

떠나야 할 시간이 될수록 우리의 몸짓은 점점 갈급해졌다. 짜릿한 쾌감은 부정할 수 없는데도 기쁘지가 않았다. 마셔도 목이 마르고, 먹어도 배가 고팠다.

새벽이 올 때까지 우리는 서로를 놓을 줄 몰랐다.

마지막 파정을 끝내고 그의 것이 완전히 빠져나가자 아래가 허전한지 저 혼자 움찔대며 그를 찾았다. 내 마음에도 꼭 그만큼의 구멍이 뚫린 것 같았다.

진 땅에는 말뚝을 박았다 빼도 금방 땅이 아문다. 하지만 가문 땅에 말뚝을 박았다 빼면 좀처럼 그 흔적이 사라지질 않는다. 꼭 그것처럼 내 몸도 마음도 휑하게 뚫려버린 기분이었다.

더는 꾸물거릴 수 없어 몸을 일으켰다.

"가보겠습니다."

"그래."

그는 옷을 걸치고 등불을 밝혔다. 풀어헤친 앞섶 사이로 그의 상체가 여실히 드러났다. 처음으로 밝은 곳에서 보는 그의 몸은 어딘가 절제된 듯 꽉 짜여진 느낌이었다. 과함도 없고 부족함도 없었다. 맨살을 보고 있는데도 색정적이라기보다는 고매하게 느껴진다. 간밤에 쾌락에 헐떡이던 사람의 몸이라고는 믿을 수 없었다.

아마 그래서 그가 더 좋은 것일 테지만.

"아가."

옷을 챙겨 입으려는데 그가 갑자기 인상을 쓰며 나를 불렀다.

"너 등이……."

아차 싶었다. 등허리의 상처는 아직 아물지 않았다. 처음에 내버려뒀더니 몇 번 덧나는 바람에 아마 더 처참한 꼴일 거다. 멍도 다 빠지지 않아 잘못 만지면 아팠다. 어젯밤 환의 손이 살짝 스쳤을 때도 아팠지만 엄살을 피우기 싫어 모른 척했다.

"아, 별로 아프지 않으니 걱정하지 않으셔도 됩니다."

"이게 아프지 않다고?"

환이 다가와 내 등을 살폈다. 내가 몸을 가리려 하는데도 막무가내였다.

"정말 괜찮습니다. 처음에는 좀 아프긴 했는데 지금은 거의 나아서요."

나은 게 아니라 아픈 게 익숙해진 것이었지만, 아무튼 잘 지내고 있으니 그게 그거 아닌가 싶었다.

"어쩌다가?"

"나리께서 신경 쓰실 일은 아닙니다."

"그때 관아에서 일이 있었던 거구나."

환은 이럴 때만 눈치가 빨랐다. 그는 서랍장을 뒤지더니 고약을 가져왔다.

"나리, 무슨 약까지……."

그는 내가 만류하든 말든 뚜껑을 열어 약을 발랐다.

"많이 바른다고 빨리 낫는 건 아닌데요."

구태여 그런 말까지 보탰는데도 환은 내 상처 위에 약을 덕지 덕지 발랐다. 약이 좀 아깝게 되었다. 그런 말을 하려 돌아보았는데, 나는 그 말을 그냥 삼킬 수밖에 없었다.

환이 울고 있었다.

나는 환의 눈물을 처음 보았다. 가끔 울 듯이 슬픈 표정을 짓곤 했어도 그가 눈물을 떨군 것은 이게 처음이었다.

이 섬의 남자들은 잘 울지 않는다. 행여 눈물이라도 글썽일라 치면 사내답지 못하다고 서로 타박한다. 하여 나는 우는 남자를 달래는 법을 알지 못한다.

"나리, 정말 괜찮습니다. 아프지 않다니까요."

어깨를 다독여보았지만 환은 눈물을 그치지 못했다.

"나리 탓이 아니에요. 원래 이 고을 돌아가는 형편이 그렇습니다. 참, 나리께서 슬퍼하신다고 제가 빨리 낫습니까? 이렇게 우시면 저까지 슬퍼집니다."

마지막 말은 빈말이 아니었다. 그의 눈물을 보니 괜히 나까지 눈시울이 뜨거워졌다.

나는 그의 눈물을 닦아주다 가볍게 입술을 붙였다. 환이 순순히 눈을 감았다. 그 모습이 너무 예뻐서 눈을 감고 싶지 않았다. 나는 그의 표정을 살피며 어제 그가 해주던 것처럼, 그것보다는 좀 더 보드랍게 입술을 핥고 혀끝을 간질였다. 울음 때문에 숨이 찬지 그의 호흡이 가빠졌다. 그는 입술을 오물거리며 내 입맞춤을 받아들였다. 좀 더 달래달라는 듯이 살짝 내 아랫입술을 깨물기도 하면서. 나는 착한 강아지를 달래듯 그의 목덜미를 쓸었다. 차츰차츰 그의 눈물이 말라갔다.

그가 울음을 그친 후 나는 입술을 뗐다. 환이 천천히 눈을 뜨고 나를 바라보았다. 저 눈을 보면 홀려버릴 것 같다. 앞날일랑 생각도 못하고 나를 내던질 것만 같다.

"이제 정말 가보겠습니다."

"그래."

또 올 거냐는 물음은 없었다. 나는 약속 대신 다시 한번 그의 입술에 가벼운 입맞춤을 남겼다. 나는 대문을 나서면서도 몇 번이나 뒤를 돌아보았다. 환은 언제까지 서있을 셈인지 계속 나를 지켜보고 있었다. 눈물 자국을 씻으라는 뜻으로 내 눈 아래를 검지로 톡톡 짚었더니 환이 쑥스러운 듯 웃었다.

밤을 보내고 나니 그가 부쩍 사랑스러웠다. 오래오래 그 모습을 지켜주고 싶었다.

4장

새벽녘 첫 빛이 들 때까지

머물면 안 된다는 걸 알았다.
그도 나를 잡으면 안 된다는 걸 알았을 거다.
그런데도 그는 나를 잡았고,
나는 이내 고개를 끄덕였다.
빛을 보면 달려드는 짐승처럼,
온기를 향해 피는 꽃처럼.

마을에 도착했을 때도 여전히 거리
는 어두웠다. 환과 체온을 나누다 떨어져서일까, 텅 빈 거리가 부
쩍 외롭다는 생각이 들었다. 언제 그를 다시 만나러 가면 좋을까.
이제 내가 그의 감시병이 아닌 것이 몹시 아쉬웠다.

　그때 새벽의 고요함을 깨고 불청객의 목소리가 들렸다.

　"삼월아."

　덕이였다. 그는 우리 집 마루에 걸터앉아 있었다. 어디 산길을
내려가다 다쳤을 법도 한데 상처 하나 없이 멀쩡했다.

　"보나 마나 거기서 오는 길이지?"

　덕이가 물었다.

　"무슨 말을 하는지 모르겠다."

"그럼 네가 범을 피해 산에서 밤을 났겠니?"

어스름 속으로 덕이의 얼굴이 보였다. 덕이의 마른 입술이 웃는 듯 마는 듯 비틀렸다. 내가 다가가자 그는 자리에서 일어났다. 덕이는 나보다 한 뼘은 컸다. 그는 나를 겁주려는 듯 바짝 붙어서 눈을 내리깔았다.

"여태껏 집에 들어오지 않았잖아."

"너 설마 어제 돌아와서 쭉 여기 있었니?"

"그래. 여기서 네가 오나 안 오나 확인했지."

소름끼쳤다.

"너 대체 무슨 꿍꿍이로 나한테 이렇게 구니?"

"꿍꿍이라니. 난 어제 범도 나타났으니 네가 걱정되어서 언제 올까 기다린 거지."

덕이가 능글맞게 받아쳤다.

"어디서 밤을 나든 내 맘이지."

"그리 당당하면 이 이야기가 어디로 새든 상관없다는 거구나. 관아에다 말해도?"

"겁박하는 거니?"

"왜? 겁이 나긴 하는구나, 네가?"

"해보든가."

관아에 이른다는 말에 덜컥 겁이 났지만 외려 뻔뻔하게 대꾸했다. 내가 두려운 기색을 보이면 덕이는 더 신나서 날뛸 것이다.

"이것 봐라, 삼월아."

덕이가 혀를 끌끌 찼다.

"어젯밤 일을 추궁하려는 게 아니야. 그냥 난 궁금해서 그러지."

"네가 궁금해하는 그런 일은 없었다니까."

"누가 믿을까?"

덕이의 입가에 비웃음이 번졌다.

"계집을 끌어들이면 그 다음에 하는 짓이야 빤하지."

"무슨 소리를 하는지 모르겠다."

"너 내 말에 똑바로 대답하면 관아에 고발은 않으마."

덕이가 자꾸 관아를 운운하는 게 불길했다. 내 아비를 절도로 고발한 것도 덕이였다. 나는 법이 어떻게 쓰여 있는지 모른다. 환과 내가 밤을 보낸 일이 죄가 되는지도 잘 모른다. 하지만 덕이네 집이 수령과 아주 친하고, 덕이가 수령에게 누군가를 고발하면 수령은 그냥 그대로 벌을 준다는 사실은 안다.

고을의 수령이 몇 번 바뀌어도 마찬가지였다. 돈이 많은 덕이네는 새 수령이 오면 선물이니 뭐니 하며 달포 내로 수령을 자기 사람을 만들었다. 지금 수령도 부임한 지 고작 한 해도 안 되었건만 덕이네 아버지와 호형호제한다고 했다.

"나리께서 뭐라 하시든?"

"뭐라 하시냐니……."

"그 인간이 널 꾀어내려 무슨 소리를 해댔느냐는 거야. 설마 널 데리고 나중에 한성이라도 간다고 하시든?"

"무슨 미친 소리야?"

"빤하지 뭐. 양반이라 으스대는 향반들도 계집질할 때 꼭 하는 소리가 제 집 안방에 앉혀준다 하지 않니?"

환은 다르다. 혀끝까지 올라온 말을 꿀꺽 삼켰다. 환이 내게 해 줬던 말들을 여기서 너저분하게 늘어놓고 싶지 않았다. 혼자서 매일 갈고닦아 마음 깊숙한 곳에 언제까지나 반짝이는 기억으로 남겨 두리라 다짐했다.

"너 왜 그렇게까지 자꾸 나리에 대해 캐묻니?"

"그건 알 거 없고."

"너랑은 얘기하기 싫다."

"이것 봐, 삼월아."

덕이는 어린 아이를 나무라듯 혀를 찼다.

"너 무슨 의리라도 지키려 그러나 본데, 그 사람이 널 대단하게 생각할 거 같니? 네 까짓 게 뭐라고. 그냥 이런 촌구석에 흔해 빠진 계집애일 뿐인데."

덕이의 말이 옳다.

나 같은 건 발에 채는 돌처럼 흔하다.

그런데도 환은 내가 좋다 했다. 그 말이 혹여나 실수였다면, 그가 오래오래 실수해주길 바랐다.

덕이는 내 침묵을 좋을 대로 받아들였는지 계속해서 떠들어댔다.

"자기가 무얼 잘못해서 여기에 왔는지나 말해주든? 말하지 않지? 말 못 하겠지. 그런 짓을 했으니."

"너는 뭘 안다고 떠드니?"

"나는 당연히 알지. 아주 망해버려야 될 자식이야."

"시답잖은 말할 거면 가. 피곤하다."

나는 덕이가 팔을 잡는 것을 뿌리치고 지나쳤다.

"별 같잖은 게."

그가 낮게 중얼거렸다.

"너 말이야, 나한테 잘 보이는 게 좋을 거다. 난 곧 한성에 가서 큰일을 할 거거든."

코웃음이 났다.

"뭐래? 과거도 못 봐서 빌빌대는 게."

"두고 보면 알 거 아니야?"

덕이가 지껄여대는 걸 두고 집으로 들어왔다. 문을 쾅 닫고 잠금쇠를 걸었다. 나무문에 걸린 걸쇠가 너무 약해 보였다.

대체 덕이는 왜 저렇게까지 환에게 집착하는 걸까. 불안감이 엄습했다. 어제 환에게 언질은 해두었지만 역시 마음이 놓이지 않았다.

오늘밤 당장이라도 환을 찾아가서 이 일을 고해줘야 하나 고민이 들었다. 그래, 오늘 늦게 환을 찾아가자. 내가 모르는 것들을 환은 많이 알고 있으니 그와 이야기를 해보면 덕이의 꿍꿍이도 알아낼 수 있을지도 모른다. 무엇보다 덕이 놈이 무슨 사달을 벌이기 전에 환을 지키고 싶었다.

피에 젖은 아비의 솜옷이 떠올랐다.

다시는 그런 일을 겪고 싶지 않았다.

🌑🌒🌓🌔

고민한 것이 무색하게, 오전 무렵 나졸들이 들이닥쳤다. 어젯밤 한숨도 자지 못해서 피로할 대로 피로한 상황이었다. 잠시 눈을 붙였다 깼더니 나졸들이 방문을 두드리고 있었다. 그들은 나를 곧장 관아로 끌고 갔다. 대체 무슨 일이냐고 물어도 답을 주지 않았다.

"저는 당최 고발당할 만한 일을 한 게 없습니다."

"그건 가서 이야기하고."

나졸 하나가 내 등을 거칠게 밀쳤다. 아직 등의 상처가 아물지 않아 쓰라렸다. 또 매를 맞을지도 모른다고 생각하니 식은땀이 났다.

관아 앞마당에는 벌써 심문을 위한 준비가 되어 있었다. 지난번 형틀이 놓여 있던 자리에 곧 망가질 듯이 부실한 나무 의자 하나가 놓여 있었다. 보통 이런 날은 수령이 송사를 몰아서 처리하기 마련인데 오늘 잡혀온 것은 나 하나뿐이었다.

나졸들은 나를 의자에 묶어두었다. 한두 식경이 지난 후, 수령이 나타났다. 그는 높은 의자에 앉아 나를 무심하게 내려다보았다. 곧이어 형방이 들어오고, 그 뒤를 덕이가 졸졸 따라왔다. 날이 밝자마자 나를 관아에 고발한 모양이었다. 평소에는 빈둥대기만 하는 게 이럴 때는 잽쌌다. 어디 무슨 죄로 잡아왔는지나 들어보자는 마음으로 묵묵히 다음 말을 기다렸다.

형방은 긴 종이를 펼치더니 내 죄를 낱낱이 밝혔다.

요컨대 내 죄의 이름은 사통이었다. 나는 그런 죄가 있는지도 처음 알았다. 하기야 이 고을의 죄는 수령이 만들기 나름이니 오늘 새로 생긴 죄목이라 해도 놀랄 것은 아니었다.

격리되어야 할 죄인과 사사롭게 정을 통한 죄.

잘못이라면 잘못이었다.

하지만 순순히 인정할 수는 없었다. 내가 인정하는 순간 분명 환까지 곤란해질 것이다.

"모함입니다."

나는 침착하게 숨을 가다듬었다. 덕이도 심증으로 우기는 것이 전부이니 나도 우기면 될 일이다. 내가 환의 집에서 밤을 났다는 것을 증명할 길은 없다. 어젯밤의 일은 우리 둘만이 안다.

"제가 어떻게 감히 그런 짓을 하겠습니까? 저는 나리와 제대로 말도 섞어본 적 없습니다. 덕이가 제게 무언가 앙심을 품고 모함하는 겁니다."

내 읍소에 수령은 잠시 턱을 쓸었다.

"그거야 심문을 해보면 알 일이지. 죄인을 데려가서 적당히 자백을 받아내라."

"예, 예."

형방이 고개를 조아리더니 나졸들에게 손짓을 했다. 나졸들이 와서 나를 억지로 일으켰다.

이럴 줄 알았다. 덕이의 모습을 발견한 순간부터 어느 정도 각오한 일이라 놀랍지는 않았다.

이 고을의 수령은 해결하지 못하는 사건이 없었다. 누구든 일단 범인으로 잡히면 그놈이 자백할 때까지 고신을 하기 때문이었다. 보통은 고신이 무서워 얼른 거짓 자백을 해버리고 벌을 받는 경우가 많았다.

덕이와 수령이 고작 나 때문에 이 난리를 칠 리가 없었다. 수령은 이전부터 환을 꺼리는 듯했고, 덕이는 무슨 꿍꿍이인지 환에 대해 캐내려고 난리였다.

그러니 이건 아마 나를 이용해서 그까지 엮어 넣으려는 속셈일 것이다.

"너 사람 잘못 봤다."

나는 덕이를 쏘아보았다.

이 관아는 내가 아비를 잃은 곳이었다. 그날 생긴 내 등의 상처는 아직 다 아물지도 않았다. 절대로 이곳에서 내가 굽히는 일은 없을 테다. 어차피 아픔은 지나간다. 그러나 사람은 잃으면 돌아오지 않는다. 나는 매 몇십 대로 끝나겠지만 환은 어떤 곤란을 겪게 될지 모른다.

"심문하십시오. 정말로 모함이니 들으실 것은 없을 겁니다."

수령은 얼른 끌고 가라는 듯 손짓을 했다.

내가 나졸들에게 끌려가고 있을 때였다. 관아의 문이 거의 부서질 듯 요란한 소리를 내며 열렸다.

"오늘 나와 관련한 재판이 열렸다고 해서 급하게 왔네."

한 남자가 관아 앞마당을 성큼성큼 걸어 들어왔다.

환이었다.

나는 믿기 힘든 광경에 몇 번이나 눈을 깜빡였다. 이마에 땀이 흐르는 것을 보아 달려온 모양이었다.

얼른 수령의 눈치를 살폈다. 그는 조금 놀란 표정이었지만 이내 의자에 몸을 푹 기댔다. 이어 덕이를 보니 억지로 웃음을 참으려는 듯 입가가 움찔거렸다.

"일단 내가 해명을 할 테니 저 아이는 풀어주게. 심문이 필요하다면 내가 응하지. 저 아이가 대체 뭘 알겠나?"

"고발이 있었던지라 그냥 풀어줄 수는 없습니다."

수령이 느릿느릿 답했다. 주름진 가느다란 눈이 환을 샅샅이 훑었다.

"죄목이 사통이라 들었는데."

환은 내게 눈길도 주지 않고 나를 스쳐 지나갔다. 방금 도착한 환이 그런 것까지 어떻게 알고 있는지 의아했다.

"그렇습니다."

"당치도 않은 이야기네. 대체 무슨 더러운 오명인가? 저 아이가 감시병일 때 내가 너무 무료해서 몇 마디 건 적은 있네. 그건 인정하지. 하지만 고작 그걸로 사통의 죄까지 뒤집어씌우는 건 너무하지 않은가? 아니면 사통에 내가 모르는 다른 뜻이라도 있는 건가?"

"결백하다는 증좌도 없지 않습니까?"

수령의 목소리는 여유로웠다. 아주 잠시였지만 수령과 덕이가 시선을 주고받는 것을 똑똑히 보았다.

"아, 자네는 퍽이나 이런 상황에서 계집질할 기분이 나겠군."

환이 빈정댔다.

"뭐, 그렇게까지 말씀하시니 한 번만 속고 넘어가겠습니다. 하지만……."

수령이 상체를 앞으로 숙였다.

"위리안치 되신 분이 이렇게 멋대로 나오시다니. 이것은 분명 잘못임을 아실 겁니다. 하지만 제가 이 문제를 마음대로 처분할 수 없으니 한성에 보고를 올리지요."

한성이라는 말을 듣자마자 숨이 턱 막혔다. 그러나 정작 환은 태연했다.

"그리하든가. 아무튼 이런 일로 관계없는 사람까지 괴롭히지는 말게."

"일단 돌아가셔서 처분을 기다리십시오. 저 애도 풀어줘라."

"무어라 보고를 올려도 좋지만, 저 애까지 난처하게 만들지는 말아줬으면 하네."

환이 재차 당부했다.

"정황을 꾸며 보고할 수는 없는 노릇 아닙니까?"

"지방에서 올라가는 보고 중에 꾸며지지 않는 것도 있는가? 죄 없는 사람을 과하게 문초하려 했단 사실이 밝혀지면 피차 자네도 곤란할 것 아닌가?"

"그런 일쯤은 제가 어련히 알아 하겠습니까? 이제 가보십시오."

수령은 나가보라는 듯 턱으로 문 쪽을 가리켰다. 그때까지도 덕이는 혼자 이죽이고 있었다. 나졸들이 포박을 풀어주었다.

이상했다.

이렇게 빨리 풀어줄 리가 없는데.

환이 왕족이어서일까.

너무 쉽게 풀려나니 오히려 무섭고 불안했다.

"제가 나리를 모셔다드릴까요?"

덕이가 수령에게 물었다.

"제가 감시병 아닙니까."

"됐다. 정 불안하면 나졸들이나……."

"나리께선 이래라 저래라 할 수 없을 텐데요. 대역 죄인 주제에 아직도 제가 뭣이나 되는 줄 알고."

덕이가 환의 말을 끊었다. 입가에는 비웃음이 번져 있었다. 환이 하다못해 욕이라도 할 줄 알았는데 그는 아무 대꾸도 하지 않았다.

"너 말 똑바로 해라."

내가 참지 못하고 한마디를 내뱉었다. 덕이가 피식했다.

"것봐. 사통 맞다니까. 나라를 팔아넘기려던 자식이나 그 자식과 붙어먹는 년이나."

덕이의 목소리에서는 깊은 경멸이 묻어났다.

"그건 무슨 소리야?"

"그만해라, 그만. 이제 다 끝났는데 피곤하게 무얼 계속 그래."

덕이가 내 물음에 대답을 하기도 전에 수령이 끼어들었다. 수령은 피곤한 기색이 역력했다.

"형방. 나졸 하나 붙여서 모셔다드리라고 하게. 덕이 너는 온 김에 식사나 하고 가든가."

"뭐, 알겠습니다."

덕이는 수령을 따라 관아 뒤편으로 사라졌다. 나졸 하나가 환을 밖으로 안내했다. 나는 관아를 나가는 환의 뒷모습을 줄곧 지켜보았다.

집으로 돌아와 밤이 이슥하길 기다렸다.

환을 만나야 했다. 해야 할 이야기가 있었다.

해가 지고도 한참이 지나서야 집을 나섰다.

드문드문 거리를 밝히던 등불들도 모두 꺼져버리고 멀리서 들리는 파도 소리만 스산했다. 달이 기운 것을 보니 이미 자정이 지난 시각 같았다. 보통 이런 밤까지 깨어 있는 사람은 별로 없었지만, 낮의 일이 일인지라 조심스러웠다. 혹여나 덕이가 지켜보고 있지 않을까 사방을 살폈는데 다행히 그런 기척은 없었다.

나는 손에 쥔 열쇠를 몇 번이나 확인했다. 손바닥에 배인 땀 때문에 열쇠가 반들거렸다. 최대한 발걸음을 재촉했다.

절벽에 도착해서도 일부러 어둑어둑한 곳만 골라 걸었다. 또 어제처럼 덕이가 있지는 않을까 했는데 오늘은 아무도 없었다.

환의 방에는 아직도 불이 켜져 있었다.

문을 열고 들어가자 그가 나왔다. 평소보다 훨씬 지쳐 보였지만 나를 보자마자 살짝 미소 지었다. 그러나 나는 웃음이 나질 않았다.

"왜 위험하게 이렇게 늦은 시간에 왔니?"

"나리. 오늘 관아에는 어떻게 알고 오신 겁니까?"

"내가 보고 싶어 온 것은 아니로구나."

"농을 할 기분이 아닙니다."

환은 한숨을 내쉬더니 내게 다가왔다.

"대체 무슨 일이 있었던 겁니까?"

"오늘 아침에 그 덕이 녀석과 한 패거리인 듯한 자들이 찾아 왔다."

"예?"

"그자들이 네 이야기를 하더구나. 네가 관아에 나 때문에 잡혀 갔고 죄목은 사통이라고. 그러면서 문을 열어주었어."

"문을 열어주었다고요?"

"그래. 갈 테면 가라고 하더구나."

기가 막혔다. 그게 덫인 줄은 예닐곱 아이도 알겠다. 똑똑해 보이던 환이 그런 시시한 수법에 넘어갔다는 게 이해가 가지 않았다.

"그런다고 나오시면 어떡합니까? 그건 누가 봐도 나리를 곤란 하게 하려는 수작 아닙니까?"

"나도 그 정도는 안다. 그렇게 눈에 띄게 구는데 어떻게 모르 겠니?"

"알면서 오셨다고요?"

"그래. 알아도 갈 수밖에 없었어. 모르겠니?"

환이 내 두 어깨를 짚었다. 그는 잠시 나를 끌어당기는 듯도 했 지만 거기서 멈추었다.

"네가 거기 있다잖아."

"그 사람들 말이 거짓일 수도 있다 의심은 안 해보셨습니까?"

"만약 사실이면?"

어깨를 짚은 환의 손에 지그시 힘이 들어갔다.

"그리고 사실이었잖니."

"나리, 저는 기껏해야 거기서 매나 몇 대 맞는 게 다입니다."

나는 갑갑해서 언성을 높였다. 환이 아랫입술을 깨물었다.

"기껏 몇 대? 아직 상처도 낫지 않았는데, 어떻게 그리도 쉽게 얘기하는지 모르겠구나. 네가 죽을 수도 있었어."

틀린 말은 아니었다. 일단 관아에 잡혀가면, 고신을 받거나 매를 맞고 죽는 이들이 부지기수였다.

"하지만 이 일이 한성까지 올라가면 나리께서 난처해지시는 것 아닙니까?"

"그럼 거기서 내가 어떻게 했어야 한다는 거니?"

"나리, 정말……."

다음 말을 해선 안 된다고 생각하면서도, 참지 못하고 내뱉어 버렸다.

"적어도 그런 바보 같은 짓은 하시지 말았어야죠."

환의 얼굴에 서글픈 웃음이 스쳤다.

"그래. 내가 관아로 달려가는데 그 패거리들도 날 바보 취급하더구나. 네가 보기에도 그렇다면 정말 내가 어리석은 거겠지."

어깨에 올라와 있던 환의 손이 스르륵 떨어졌다.

"제발 앞뒤를 생각하십시오."

쏘아붙이고 나니 그제야 내 말투가 너무 박했다는 생각이 들었다.

"그리고 전 나리 때문에 잡혀간 게 아니에요. 덕이 놈이 말을 지어내서 끌려간 것이지, 나리께서 잘못하신 것은 없습니다."

목소리를 누그러뜨려 덧붙였다. 사통이라는 죄가 정말 있는지 몰라도 나는 우리가 잘못했다 생각지는 않았다.

"그래. 그렇게 말해주니 고맙다."

환은 시선을 떨어트렸다.

"그래도 아가. 굳이 나 때문이 아니더라도, 네가 다른 죄목으로 잡혀 들어갔더라도 나는 갔을 거다."

"왜요?"

"갈 수밖에 없으니까."

정말 바보 같은 대답이었다.

"나리께서 현명한 분인 줄 알았는데요."

"그랬다면 이 섬까지 오지도 않았겠지."

내가 다치는 건 상관없었다. 장을 맞아도 좋고, 고신을 당해도 괜찮았다. 몸의 상처는 언젠가는 나으니까. 어차피 바닥을 굴러먹는 인생이니 새삼스럽게 억울하고 아파할 필요도 없다. 하지만 환에게 무슨 일이 생긴다면 문제는 달랐다. 가난한 사람일수록 잃는 것이 두려운 것이다.

이런 말들을 하고 싶은데 말은 나오지 않고 눈물만 흘렀다. 내가 울기 시작하자 그가 나를 품에 안았다.

"미안하다, 아가. 미안해. 네가 속상해서 그런 말을 하는 걸 아는데도……."

아니, 환은 모른다. 알면 나를 이렇게 아프게 할 수가 없다.

"앞으로 네가 눈물 흘릴 일은 절대 하지 않으마."

"그러면……."

울음 때문에 숨이 가빴다.

"앞으로는 나리의 안위만 생각하십시오. 나리께서는 저를 못 지키십니다."

"아……."

환의 눈가가 붉어지더니 이윽고 눈물이 그의 왼뺨을 타고 흘렀다. 그의 눈물을 보려 한 말은 아니었다. 이렇게 매몰차지 않으면 또 같은 실수를 할까 무서워서였다. 하지만 막상 그의 눈물을 보니 방금 뱉은 말을 주워 담고 싶었다.

"그렇지. 나는 너를 못 지켜."

"나리."

"이렇게 서러운 일이구나. 힘이 없다는 거 말이다."

"제 말 뜻은……."

"인화야, 그거 아니? 힘이 없는 사람이 중요한 걸 지키기 위한 유일한 방법이 희생이라는 거 말이다."

모른다. 알고 싶지도 않았다. 나는 세차게 고개를 저었다.

"전 그런 거 필요 없습니다. 다시는 그러지 마십시오."

"그래. 그러마."

그는 손으로 내 뺨을 더듬어 눈물을 닦아냈다.

"그리고 덕이와 그 패거리가 무언가 꾸미는 기색입니다. 제발 조심하십시오."

이미 늦은 충고였지만 이 말도 안 할 수는 없었다.

"알았다."

"제가 할 말은 끝났습니다."

"이제 갈 거니?"

환은 주춤주춤 팔을 풀었다.

"그래야 하지 않겠습니까? 괜히 여기 더 있다가 또 나리를 곤란하게 하면 어떡합니까?"

"아, 그렇지. 네가 난처해지면 안 되지."

"저는 나리께 폐가 되지 않습니까?"

"내가 너에게 해가 되지."

환이 자조적으로 대꾸했다. 서로 같은 이야기를 해서 다투는 일도 있다는 걸 처음 알았다. 환과 나는 실은 내내 같은 이야기를 하고 싶었던 거다. 우리는 잠시 서로를 물끄러미 바라보았다. 가지 위의 이화는 막 움을 틔울 듯 몸을 잔뜩 부풀리고 있었다. 봄이 오고 있는데 밤바람은 아직 찼다.

이윽고 환이 입을 열었다.

"그래도 지금은 돌아가기에 너무 야심한 시각이구나."

"날이 밝으면 또 덕이가 올 겁니다."

"그럼 새벽녘 첫 빛이 들 때까지만이라도 머물다 가렴."

그가 살며시 내 손목을 잡았다.

머물면 안 된다는 걸 알았다. 그도 나를 잡으면 안 된다는 걸 알았을 거다. 그런데도 그는 나를 잡았고, 나는 이내 고개를 끄덕였다. 빛을 보면 달려드는 짐승처럼, 온기를 향해 피는 꽃처럼.

그의 방은 지난번 그대로였다. 자리에 눕자 그가 팔을 뻗어 나를 꽉 안았다. 숨이 막혔다.

"그런 생각이 들었다."

"어떤 생각 말씀입니까?"

"관아에서 내가 한 말들이 네게 상처가 되지는 않을까 하는 생각."

어쩔 수 없는 일이었다. 나라도 그렇게 했을 거고, 실제로 나도 그와 아무 관계가 없다 우겼으니까.

"하지만 고작 그게 내가 할 수 있는 최선이었어."

입술이 맞닿았다. 쌉쌀했다.

"참 한심하지 않니?"

그의 손이 내 허리춤을 파고들었다. 옷이 흘러내리며 번잡스러운 소리를 냈다.

"이런 사람은 누구를 곁에 둬선 안 된다는 생각이 들었어."

약간의 번민과 약간의 갈망이 담긴 손길이 내 허리를 타고 올랐다.

"예전에는 원하는 걸 너무 쉽게 얻고 살았어. 운명이란 게 참 고약하지 않니? 이토록 무력해진 후에야 진짜로 원하는 걸 찾다니."

긴 한숨이 귓가에 닿았다. 혀끝이 귓바퀴를 간질였다.

"그런 말을 듣는 너도 마음이 아팠겠지."

아프지 않았다면 거짓말이다. 아파도 참아야 했기에 참은 것뿐이다.

속이 꽉 메어왔다. 자칫하면 또 울어버릴까 목소리를 내지 못했다.

"아가."

서로의 맨살이 천천히 닿았다. 미지근하게 번지는 온기가 나를 괴롭게 했다.

"네가 내 곁에 머물면 내내 그런 괴로운 일들만 겪게 되겠지."

나는 손을 뻗어 그를 좀 더 끌어당겼다. 그의 말을 어떻게든 부정하고 싶었다. 이렇게 뜨거운데, 내 정적 속에 열기를 피우는 유일한 사람인데.

"나리."

"응."

"저희는 정말 안 될 말입니까?"

그는 조금 웃더니 내 뺨에 입을 맞췄다.

"그래. 안 될 말이란다."

대답과 동시에 그의 몸이 내 위로 무너졌다.

환의 말대로 나는 새벽녘 첫 빛이 들 무렵 그를 떠났다. 집으로 돌아오니 작은 방은 차갑게 식어 있었다. 창이 너무 작아 빛이 잘 들지 않는 방이었다. 손바닥으로 뒤틀린 바닥을 짚었다.

봄인데도 한기가 들었다.

어미는 바로 이 자리에서 세상을 떴다고 한다. 매병이 와서 기억을 잃고 난 후에도 아비는 하염없이 이 자리를 손으로 쓸었다. 무얼 생각하느냐고 물어보면 그냥 고개만 절레절레 저었다.

그 모습을 떠올리며 나도 꼭 같은 모양새로 바닥을 더듬었다.

언젠가 환이 세상을 먼저 떠나고 나면 나 역시 이렇게 하염없이 그가 있던 바닥을 쓸게 될까.

우리가 될 말이냐고.

실은 환이 내 질문을 되물어주길 바랐다.

아가, 우리는 정말 안 될 말일까?

그가 그리 물었더라면, 나는 분명 한 치의 망설임 없이 이렇게 대답했을 것이다.

어쩌면 세상 아무도 없는 그 절벽 위에서만은, 서로 잇닿을 수 있을지도 모르겠노라고.

5장

풍
랑

"그래 우리 서로를 위한 증인이 되자."
무력하고 사랑스러운 약조였다.

사월, 배꽃이 피었다. 만발한 꽃잎을 보름달이 더욱 희게 비추었다.

나는 달밤을 달려 단숨에 환의 거처 앞에 도착했다. 가시덤불은 이제 내 키보다 높게 둘러져 있었다. 환이 관아까지 왔던 일 때문에 보수를 한 듯했다.

일찍 잠이라도 든 것인지, 환의 방에는 불이 꺼져 있었다. 주변은 고요했다. 나는 소리가 나지 않게 조심스레 자물쇠를 열고 안으로 들어갔다. 내가 생각해도 조금 미친 것 같았다.

듣기로는 달이 뜨면 광증을 앓는 병자들이 늘어난다는데, 나도 달빛 때문에 머리에 병이 났나 보다. 그냥 들어가도 될 것을 그를 놀래주고 싶은 마음이 들었다.

나는 환의 방 앞마루에 걸터앉았다. 너무 달려온 탓인지 심장이 요동쳤다. 고작 며칠만인데 머리가 어질어질할 정도로 그가 그리웠다.

"산."

불어온 봄바람에 꽃향기가 슬쩍 실려온 것도 같았다. 방문이 거칠게 열렸다. 나는 환을 올려다보았다.

환과 눈이 마주쳤다.

삼월에 태어난 나와 오월에 태어난 환.

우리 사이에 사월이 있다.

봄이 있다.

그는 나를 번쩍 일으켜 정말 나인지 확인이라도 하듯 내 얼굴을 손으로 몇 번이고 쓸었다. 손끝의 열기가 뺨을 데웠다.

"아가. 기다렸잖니."

그는 강하게 나를 끌어안았다. 덕분에 그의 가슴팍에 코가 눌렸다.

"나리, 코가 눌려서 아파요."

그는 팔을 느슨하게 풀고 방금 눌려서 빨개진 내 코끝에 자신의 코끝을 가져다 댔다. 뾰족한 코끝이 닿는 느낌이 간지러웠다. 나는 눈을 감았다.

"이제 오지 않는 건가 해서 걱정했다."

"사정이 좀 있었습니다."

혹여나 덕이가 또 간섭을 하지 않을까 싶어 며칠간은 눈치를 좀 살폈다. 다행히도 덕이나 그 패거리는 이제 나에게 관심이 영 사라진 모양인지 얼씬도 하지 않았다. 그제야 안심하고 환을 다시 만날 생각이 들었다.

그를 만나러 오지 못하는 밤이면 가슴 밑바닥에 열이 끓는 것 같았다. 그와 맞물릴 때의 아릿한 쾌감이 자꾸만 떠올랐다. 어둠 속에 희미하게 보이던 몸도, 나를 쓰다듬던 손길도, 귓가에 닿는 애끓는 목소리도, 도무지 머릿속을 떠나지 않았다. 그 밤을 회상하면 얼굴이 홧홧하게 달아올라 혼자 발을 구르다 잠들곤 했다.

나는 그의 품에 얼굴을 묻고 숨을 들이쉬었다. 환의 몸에서는 흙냄새가 나지 않았다. 햇볕에 잘 말린 천처럼 포근하면서도 어딘가 달콤한 향기가 났다. 이 체취를 밤새 맡아도 질리지 않을 것 같았다.

"고작 며칠 가지고 왜 이리 성화십니까? 제가 안 오겠다 한 것도 아닌데요."

"오겠단 말도 하지 않았잖니. 그동안 내가 얼마나 애를 태웠는지 모를……."

나는 까치발을 들고 그의 입을 막기라도 하듯 입술을 맞붙였다. 그는 말을 멈췄다. 나는 잠시 더 입술을 가만히 붙이고 있다가 발을 내렸다.

꽃향기가 그윽하고, 파도 소리가 깊었다.

"인화야, 너는 내가 싫지 않니? 아니면 예전처럼 싫지도 좋지도 않니?"

환이 바보 같은 질문을 했다. 나는 대답 대신, 그의 눈길을 피하며 딴소리를 했다.

"나리는 여전히 목소리가 참 좋아요."

"목소리만?"

"네."

내 대답에 환은 아랫입술을 비죽이더니 그대로 아까 내가 했듯 입술을 맞부딪쳤다. 그는 내 아랫입술을 가볍게 깨물고 안으로 들어왔다. 부드럽고 따뜻한 혀가 주춤거리는 내 혀를 녹이듯 쓸었다. 나는 몇 번이고 그의 달큰한 타액을 받아 삼켰다.

그는 비틀거리는 나를 마루에 눕힌 후 다시 입맞춤을 이어갔다. 하반신에 닿는 그의 몸이 너무 뜨거워서 나도 모르게 골반을 틀었다. 끊길 줄 모르는 입맞춤은 그리움인지 외로움인지 알 수 없었다.

내 어깨를 잡고 있던 그의 오른손이 아래로 내려가 웃옷 속을 파고들었다. 그는 입술을 떼고 나를 내려다보았다. 나는 그의 시선을 피해 고개를 돌렸다.

"나리, 여기 밖이에요."

"어차피 아무도 오지 않을 텐데."

"그건 그렇지만."

"밤공기가 너무 차니?"

"괜찮아요."

"그럼 되었다."

그는 내 말을 허락으로 생각한 것인지, 아까처럼 내 입술을 오물거렸다. 앞니가 입술 안쪽을 슬며시 긁었다. 아랫배가 근질거렸다.

"내일 아침이면 돌아가야겠지?"

그의 입술이 젖가슴에 닿았다. 그는 어린아이처럼 그것을 물고 부드럽게 빨았다. 그의 치아가 예민한 부분에 닿자 어쩐지 입천장까지 간지러워지는 느낌이 들었다. 나는 손을 뻗어 단정치 못하게 흘러내린 그의 옆머리를 쓸었다.

"아침이 오기 전에 가야지요."

"그런 아침은 영영 오지 않으면 좋겠구나."

"아침이 와야 또 다음 밤이 오지요, 나리."

"그렇게 부르지 말고, 인화야."

"그럼 어찌 부를까요?"

"네가 붙여준 그 이름이 좋아."

"산."

그 시답잖은 이름이 뭐가 그리 좋은지 그의 얼굴에 환한 미소가 번졌다. 저렇게 웃을 때면 환의 얼굴에서 지친 기색이 가시고 다소간의 명랑함이 깃든다. 그 얼굴이 너무 좋았다.

그는 내 속바지를 마저 벗겼다. 가슴과 허벅지에 닿는 그의 맨살이 뜨거웠다.

"요 며칠 새 매일 너만 생각했다, 인화야."

"술 사다 줄 사람이 없어 아쉬우셨던 거겠죠."

내가 괜히 실없는 소리를 하자, 환은 토라진 듯 내 귓바퀴를 가볍게 깨물었다.

"너무 장난치지 마라. 네 장난에도 나는 가끔 마음이 찢어질 것 같구나."

그의 부드러운 손가락이 허벅지를 쓸어 올린 후 내 가랑이 사이를 파고들었다. 이물감에 저절로 신음이 흘러나왔다. 나는 소리를 죽이려 아랫입술을 꾹 깨물었다. 그는 왼손을 올려 내 얼굴을 더듬더니, 입술을 벌려서 소리가 흘러나오게 했다. 그의 입가에는 장난스러운 미소가 걸려 있었다. 입안에 매끄러운 그의 손가락이 들어와 혀끝을 건드렸다. 그의 오른손이 계속해서 집요하게 아래를 헤집었다. 끈적거리는 소리가 내 귓가에 들릴 정도였다.

"나리, 꼭 그걸, 이렇게 해야 하는 건가요?"

양손으로 얼굴을 가리며 물었다.

그의 손가락이 집요하게 건드린 곳이 화끈거려서 스치기만 해도 몸이 반사적으로 움츠러들었다. 그의 손가락이 툭툭 아래를 건드릴 때마다 아래에 피가 쏠리는 기분이었다. 이미 몇 번의 쾌락을 맛본 몸은 다음을 기대하며 멋대로 아래를 흠뻑 적시기 시작했다.

"언제까지 얼굴을 가리고 있을 거니?"

"……끝날 때까지, 계속요."

"그러지 말고 날 안아주렴."

환이 달콤한 목소리로 속삭였다. 나는 그를 안고 등줄기를 천천히 쓰다듬었다. 그 사이 그는 젖꼭지를 물고 혀로 끝을 간질였다. 단단해진 젖꼭지를 그의 혀가 누를 때마다 몸 안에 열이 확 피어오르는 것 같았다.

나는 손을 내려 그의 하초를 더듬었다. 딱딱해진 물건은 당장이라도 옷감을 뚫고 나올 듯했다. 살짝 스친 것뿐인데도 그의 잇새로 억눌린 신음이 흘러나왔다.

그는 불현듯 몸을 내리더니 내 다리 사이로 고개를 박았다. 아래에 부드러운 것이 닿는 느낌에 흠칫했다. 그는 입을 맞출 때처럼 내 아래를 어지럽게 핥았다.

"아, 산, 왜……."

그는 대답은 않고 아래를 핥는 일에 열중했다. 손으로 만질 때와는 다른 자극에 아랫배가 달아올랐다. 그의 혀가 지그시 누르는 부분이 부풀기 시작해 당겼다. 열에 찬 입김과 살갗에 비벼지는 입술이 지나치게 색정적이었다. 밑에서 액체가 흘러나오는 느낌이 들었다. 아마 환의 입술을 잔뜩 적셨을 테다. 혀가 부푼 곳 위를 계속해서 뱅뱅 돌았다. 나는 밖이라는 것도 잊고 흐느끼며 몸을 들썩였다.

그를 원했다. 지금 당장 안을 열고 들어와 나를 채워주었으면 했다. 한없이 황홀한 나락으로 내동댕이쳐주길 바랐다.

"산, 이제……."

나는 조르듯 그의 소매를 잡아당겼다.

"하고 싶어요."

목소리가 기어들어갔다. 환의 웃음소리에 귓가가 화끈거렸다.

"기다려."

그는 내 허벅지를 활짝 벌리고 입술을 더 꽉 붙였다. 그의 입술이 아래에 붙었다 떨어지는 외설적인 소리가 내 귀에까지 들렸다. 그는 내가 어디를 만지면 흐트러지는지 안다. 그의 입술은 지금 꼭 그 부푼 부분에 붙어, 그곳을 부드럽게 빨아들였다가 놓기를 반복했다. 정신을 붙잡으려 애를 썼지만 코끝에 닿는 배꽃 향기가 자꾸만 나를 현혹했다. 그가 주는 아주 사소한 자극에도 온몸이 휩쓸렸다. 가혹하게 밀려오는 쾌감에 허리가 들렸다.

"아, 흣……!"

아랫배에서 끓던 열이 확 터지며 눈앞이 흐려졌다. 질구에서 울컥 무언가 밀려나오는 느낌이 들었다.

그제야 환은 몸을 일으켰다. 옷을 젖히자 앞부분이 이미 말간 액으로 젖어 번들거리는 것이 보였다. 그는 옷을 다 내리기도 전에 성급하게 아래를 맞췄다.

이윽고 말은 사라지고 아래에서 질척이는 소리와 간간이 그와 내가 흘리는 신음소리만 남았다. 어둠이 눈에 익어가면서 희미한 달빛에 비친 그의 얼굴을 또렷이 볼 수 있었다. 이 진창 같은 어둠 속에서 우리는 서로 몸을 엉클고 서로에게 조금이라도 더 잠식당하려는 듯 허우적댔다.

이게 서로에게 줄 수 있는 전부라는 듯이.

그는 행위가 끝난 후에도 한참이나 그대로 나를 안고 있었다. 아직 흥분이 가시지 않은 심장이 빠르게 뛰는 소리가 들렸다. 허벅지 사이로 뜨거운 액체가 흘러내렸다. 앞으로도 그와 쭉 이렇게 살아가게 될 것이라는 예감이 들었다.

세상은 우리에게 이 작은 담장 안만 허락한다. 관아에서는 이것을 사통이라 했다. 마을 사람들이 안다면 내가 무슨 큰 죄인이나 된 것처럼 입방아를 찧을 것이다. 그래도 상관없었다. 우리는 결코 부부나 그 엇비슷한 것도 될 수 없겠지만, 환이 나로 인해 조금 덜 슬플 수 있다면 이것으로도 충분했다.

❂❥❦❦❦

시간은 무던하게 흘렀다. 봄이 점차 무르익어 사방에 꽃향기가 가득했다. 어수선하게 얽혀 핀 들꽃들 사이로 나비들이 어지러이 날았다.

낮에는 마을에서 일을 하고, 해가 지면 해안가를 따라 걸어 환에게로 갔다. 언젠가는 사납게 들리던 밤바다의 파도 소리도 점차 편안해졌다. 나중에는 노랫소리처럼 은은히 들리기도 했다.

으슥한 비탈을 따라 올라가면 환이 나를 기다리는 작은 집이 보였다. 문틈으로 흘러나오는 작은 불빛마저 애틋했다. 환은 내가 오는 발자국소리를 들으면 문 앞까지 와서 나를 맞았다. 키도 나보다 한참 큰 사람이 이럴 때는 꼭 주인을 기다리는 강아지 같았다.

"강아지 같으십니다."

내가 무심결에 속마음을 말했더니, 그는 아주 이상한 표정을 지었다.

"아가, 그거 좋은 뜻이니?"

"아무렴 제가 나리께 나쁜 말을 하겠습니까?"

"나쁜 말도 많이 하잖니. 무슨 뜻이야?"

졸졸 따라오며 계속 묻는 것도 꼭 봄날 태어나 사람을 곧잘 따르는 옆집 강아지와 엇비슷했다.

방에는 지난번에 환과 내가 글씨 연습을 했던 종이들이 늘어져 있었다. 나는 척 봐도 내 글씨와 환의 글씨가 다른 것을 알겠는데, 환은 두 글씨가 구분이 가지 않는다고 신기해했다. 나는 구분 못 하는 그가 더 신기했다. 손재주도 없는데 눈썰미도 없다.

"나리가 쓰신 건 획의 끝이 조금 더 모나지요."

"어딜 봐서?"

환은 연신 두 종이를 번갈아보며 고개를 갸웃했다. 보고도 모르면 알려줄 방법이 없다.

"신기할 정도로 비슷한데."

"비슷하게 쓰는 걸로 돈을 벌 수도 있습니까?"

"글쎄다, 그건 좀 힘들 것 같은데. 필적을 따라하는 대회라도 있다면 장원은 따놓은 당상이다만."

환도 참 싱거운 소리를 한다. 한성에 아무리 별게 다 있다지만 그런 대회는 없을 테다.

"그럼 별 쓸모 있는 재주는 아니군요."

"꼭 돈이 되어야 쓸모 있는 것은 아니잖니."

환은 웃으며 대꾸하고는 종이들을 차곡차곡 챙기기 시작했다. 처음에는 다 쓴 종이를 모아 불쏘시개로라도 쓰려고 그러나 했는데, 환은 그것들을 두고두고 들춰볼 것이라 했다. 그 말을 듣고 나니 대충 쓸 수가 없어 더 성심성의껏 쓰게 되었다. 하지만 내가 본 예쁜 글씨라고 해봤자 환의 글씨가 전부여서, 깔끔하게 쓰려다 보니 자연스레 그의 글씨체를 따라하게 되었다.

"자세히 보니 네가 좀 더 잘 쓰는 것 같기도 하구나."

"제가 나리께 비기겠습니까? 그저 비슷하게 따라하는 것뿐이지요."

게다가 아직은 아는 글자도 썩 많지 않았다.

"아냐, 정말 잘 쓴대도. 고작 몇 달 가르친 건데 대단한 거지."

환은 이렇게 내게 너무 무르다. 무얼 해도 늘 잘했다고만 하니 정말인지 의심이 간다. 나는 종이 뭉치를 정리하는 환의 옆모습을 골똘히 보았다. 길게 올라간 입꼬리와 섬세한 눈매의 곡선이 보기 좋았다. 정말 이렇게만 보면 그가 죄인이라고는 생각이 안 든다.

덕이는 그가 무서운 짓을 했다고 했는데.

"나리."

"왜?"

그는 종이를 책상 위에 곱게 올려놓고 내 앞에 와서 앉았다. 우리는 맑은 술을 한 잔씩 나눠 마셨다.

"이런 걸 여쭤보아도 될지 모르겠습니다."

"뭐든 물어봐도 되지."

"한성에서 정말 그렇게 무서운 일을 하셨습니까?"

"그렇게 보이니?"

"그렇게 보이지는 않습니다."

이렇게 다정한데, 도저히 그가 무시무시한 짓을 했다고 생각되지는 않았다. 내가 모르던 시절 환은 대체 어떤 사람이었을까. 알고 싶었고, 모르고 싶었다.

"무서운 일이라……."

그는 잠시 내 말을 곱씹더니 천천히 시선을 들어 내 눈을 마주 보았다.

"했단다."

환의 대답에 가슴이 쿵 내려앉는 것 같았다.

"두 가지 큰 잘못을 했지."

나는 더 묻지 않았다. 더 물을 수가 없었다. 내가 묻지 않는데도 환은 말을 이었다.

"하나는 동생을 죽인 거였어. 내 손으로 직접 죽인 건 아니다만, 내가 시켰으니 결국 내가 죽인 거지."

그 말을 할 때 환은 너무 괴로워 보였고,

"그리고 다른 하나는 올바른 선택을 한 거였지."

이어서 이 말을 할 때는 허탈하게 웃었다.

앞 이야기는 예전에도 얼핏 들었던 이야기라 놀랍지 않았고, 뒷말은 도통 무슨 뜻인지 이해가 안 갔다.

"올바른 선택을 하는 게 왜 잘못입니까?"

"사람마다 올바른 것이 다르기 때문이겠지."

나는 환의 말을 곰곰이 생각했다.

"나리께는 옳은 판단이었지만, 다른 사람들에게는 아니었다는 거군요."

"그런 거지. 그리고 왕좌는 판단 하나로 많은 사람들을 좌우하는 자리니 그만큼의 무게를 지는 거지."

등불이 나른하게 어른거렸다.

"그게 무슨 판단이었길래 이런 곳까지 오셨습니까?"

"이런 곳이 뭐 어때서? 네가 있는 곳인데."

"한성에 비할 곳은 못 되지요."

환은 내 말에 고개를 저었다. 이럴 때마다 그가 이해가 안 간다. 마을 사람들은 다 한성이 대단한 곳이라고 했다. 그 부잣집 아들인 덕이마저도 한성에 올라가는 게 꿈이라고 떠들 정도이니 말 다한 셈이다.

"네가 궁금하다면 자세히 일러줄 수 있지. 이야기가 좀 길긴 한데⋯⋯."

환은 말을 꺼내려다 멈칫했다.

"그런데 긴 이야기를 하기에는 오늘 네가 너무 피곤해 보이는구나."

환의 말대로였다. 나도 모르게 눈이 자꾸만 감겼다.

"괜찮은데요."

나는 어떻게든 정신을 차리려고 눈을 비볐다. 그가 종일 나를 기다리는 것을 알기에 되도록이면 오랜 시간을 보내고 싶었다.

"그만 쉬렴."

"금방 왔는걸요."

"낮에 일하고 오는 거잖니."

"그거야 어릴 적부터 하던 건데요. 별로 고되지도 않고요."

고되지 않다는 것은 거짓말이었다. 모내기철에 일을 돕는 것은 늘 벅찼다. 그래도 이렇게 푼돈이라도 벌지 않으면 생계를 이어나갈 수가 없었다. 손은 쉽게 갈라졌고, 씻어도 흙냄새가 빠지지 않았다.

환은 내 손을 쥐더니 그의 입가로 끌어갔다. 그의 부드러운 입술에 닿기에는 내 거친 손이 미안했다. 나는 그의 품에 스르륵 기댔다.

"좀 자는 게 낫겠다."

"괜찮다는데도······."

그는 기어코 나를 눕히더니 등불을 꺼버렸다.

"아직 그렇게 졸린 건 아닌데요."

나는 그의 품에 안겨 웅얼거렸다. 그는 내 머리끈을 풀고 머리를 쓸어내렸다.

"잠드는 건 싫은데······."

버텨보려 해도 수마가 내 몸을 아래로 잡아끌었다.

"잠들면 시간이 너무 빨리 가버려요."

"괜찮다. 난 깨어 있을 테니."

그가 내 뺨을 보듬었다. 환의 목소리가 조금 멀어진다 싶더니 이내 들리지 않았다.

새벽 어스름이 문가를 비출 무렵 눈을 떴다. 그때까지 환은 나를 안고 있었다. 내가 뒤척거리자 깬 것을 알았는지 그는 살며시 팔에서 힘을 뺐다.

"죄송해요. 계속 이러네요."

"피로할 텐데 와주는 것만 해도 고맙지."

"새벽이네요."

"그래, 새벽."

얇게 새어 들어오는 빛조차 진절머리가 난다는 듯, 환은 눈을 감아버렸다. 소용없는 짓이었다. 문틈으로 비친 서광은 무심히 방 안으로 스미어왔다. 그는 막 몸을 일으키려던 나를 다시 끌어 안았다. 헤어지기 전 그의 포옹은 늘 어딘가 허전해서, 나는 반사적으로 그의 품에 몸을 파묻곤 했다.

"빛나는 것은 원래 하루의 절반만 뜨는 거지. 해와 달처럼 말이다."

환이 읊조렸다.

매일 아침마다 겪는 이 이별이 좀처럼 익숙해지지 않았다.

"오늘도 밤새 안 주무셨습니까?"

"네가 없을 때 자야 시간이 빨리 흐르잖니."

그 말이 좀 애잔해서 나는 그의 입가에 살짝 입을 맞추었다.

"밤에 올게요."

그를 두고 가고 싶지 않았지만 여기 있는 모습을 누군가에게 들켜도 곤란했다. 그는 이럴 때 무리하게 조르는 법이 없었다. 서로를 난처하게 만들고 싶지 않은 것이다.

그가 문 앞까지 나와 나를 배웅했다. 자신은 어른스럽게 굴고 있다 생각하겠지만, 우울한 눈빛을 보면 떨어지기가 쉽지 않았다.

"빨리 가봐."

머뭇거리는 나를 그가 가볍게 떠밀었다. 나는 밤에 오겠다는 약조를 하고 나와서 자물쇠를 걸어 잠갔다. 철컥, 돌아가는 쇳소리에 내 마음까지 깊은 곳으로 가라앉는 것 같았다.

아무래도 며칠간 말도 제대로 나누지 못한 것이 마음에 걸려 땅 주인에게 부탁해 일을 조금 일찍 마쳤다. 땀에 젖은 몸을 씻고 시장에서 환과 먹을 간식거리들을 샀다. 넉넉지는 않은 품삯이었지만 둘이 가볍게 요기를 하기에는 무리가 없었다.

절벽을 올라가는 길, 미지근한 바람에 나무들이 부산을 떨었다.

오늘 그는 마당까지 나와 있었다.

"왜 나와 계십니까?"

"여름이 오는 것 같아서. 들어가자."

그는 방에 들어오자마자 등불을 꺼버렸다. 어둠이 훅 끼치고 등 뒤로 그의 뜨거운 몸이 닿았다. 짐을 제대로 내려둘 틈도 없었다. 사온 물건들이 그냥 바닥을 굴렀다.

그는 나를 눕히고 성급하게 몸을 겹쳤다. 그동안 못 다한 욕정을 폭발시키기라도 하듯, 우리는 서로를 거칠게 쓰다듬고 팔다리를 얽었다.

눈이 어둠에 적응해가면서 점차 그의 벗은 몸이 시야에 들어왔다. 어둠의 장막이 어렴풋이 가려놓은 윤곽이 아름다웠다.

뜨거운 성기가 안을 침범했다. 나는 신음을 삼키며 다리를 더 벌렸다. 이 순간의 충족감이 너무 달콤했다.

이 좁은 방이 두 사람을 감춰주는 작은 상자 같다고 생각했다.

제발 누구도 이 상자의 뚜껑을 들춰보지 않길 기도했다. 단 한 뼘이라도 이 일이 새어 나가버린다면 우리의 서글픈 밤은 산산조각이 나버릴 테다.

차라리 이 상자를 그대로 불구덩이에 집어 던져도 좋으니 누구도 이 밀회를 들여다보지 않았으면 좋겠다.

오늘 그의 몸짓은 성급했다. 쫓기는 사람처럼, 만족이 아니라 갈증을 채우기 위해, 함께 있다는 걸 확인하기 위해, 혹은 억누르지 못할 격정 때문에.

외로워, 말하지 않아도 알 수 있었다.

미안하다, 하지 않아도 될 말을 그는 굳이 입 밖으로 냈다.

아래를 파고들어오는 느낌이 이제는 퍽 익숙했다. 더는 이것이 이물감으로 느껴지지 않았다. 오히려 제자리를 찾아 채워주는 듯했다. 말소리가 끊기고 눅눅한 어둠 속 가쁜 두 숨소리만이 오갔다. 그가 더 깊이 들어왔으면 해서 다리를 감아 허리를 당겼다. 저 안쪽까지 울리는 감각이 아찔했다. 평소에는 한없이 다정다감하던 손길이 애욕에 차서 내 둔부를 움켜쥐었다.

우리는 이렇게 살면 되는 것이다. 서로를 만날수록 깊어가는 갈증으로 괴로워하면서, 그러면서도 서로를 놓지 못해 더듬고 물어뜯고 때로는 한없이 부드럽게 마주 안으며.

◍◐◑◐(

여름이 문을 두드릴 무렵 장마가 왔다. 두터운 비를 뚫고 가느라 온몸이 다 젖었다.

"아가, 이런 날은 집에 있어도 되는데."

"제가 오고 싶어 온 건데요."

"들어가 있어. 불을 피울 테니."

"바닥에 물이 떨어질 텐데요."

"그거야 닦으면 그만이지."

그는 호들갑스럽게 나를 방에 들이고 불을 때러 부엌으로 갔다. 옷자락에서 물방울이 똑똑 떨어져 바닥을 적셨다. 역시 밖에서 물을 좀 짜고 들어올 걸 그랬다.

환은 몸을 닦을 천을 들고 와서 내 머리칼을 털어주었다. 머리가 멋대로 헝클어졌다. 그는 내 꼴을 보고 혼자 웃더니 빗을 가져와 머리칼을 빗겨주었다.

"장마에도 일을 하니?"

그가 내 머리를 빗겨 내리며 물었다.

"보통은 일이 없지요."

"그래?"

그는 무언가 더 말하고 싶은 듯 미적거렸지만 끝내 다음 말은 하지 않았다.

옷은 다음 날 아침까지도 축축했다. 하늘은 새까만 먹구름이 뒤덮여 빛이 들지 않았고, 새벽 첫 빛이 좀처럼 들지 않는다는 핑계로 나도 그도 서로를 놓지 않았다. 그러나 빛이 없어도 아침은 온다.

"옷이 마른 다음에 갈까요?"

"그래, 그게 더 좋겠다."

"비가 그친 다음에 가면 어떨까요?"

"그럼 더 좋지."

"조용히 하면 되겠죠?"

나는 그의 품에 깊숙이 파고들며 물었다. 맨살이 비벼지는 느낌이 좋았다.

한참을 둘이서 이불 안에서 꼼지락대다 느지막이 아침을 먹었다. 식사를 끝낸 후 환은 살짝 문을 열어 밖을 확인했다.

"오늘은 폭우라 못 오나 보다."

지키는 사람이 없다는 얘기였다. 앞이 뿌옇게 보일 정도로 두터운 비니 그럴 만도 했다. 환의 말을 들어보니 역은 벌써 덕이에게서 다른 사람으로 넘어갔다고 했다. 덕이가 이대로 우리에 대한 관심이 식어버린 거면 좋겠다.

"나리."

"왜?"

"한성에는 이제 소식이 닿았겠지요?"

"무슨 소식?"

환은 전혀 모르겠다는 듯 눈을 깜빡이더니, 아, 하고 곧 고개를 끄덕였다.

"수령이 보고를 올린다 했었지."

"예. 나리께서 그날 이곳을 나가서 관아까지 오신 일을 한성에 전한다 하지 않았습니까?"

"그 소식이라면 이미 닿고도 남았겠지."

"근데 너무 조용한 것 아닙니까?"

그날 관아에 다녀온 이후로 덕이는 딱히 수상한 낌새가 없었다. 수령 역시 마찬가지였다. 매일 형식상 오가는 감시병 하나가 전부였다.

"수령이야 상부로 넘겼으니 자기 선에서는 이제 뭘 더 건드리기 싫을 거고. 조정에 소식이야 닿았겠지만 그 동네가 그렇게 빠릿빠릿한 곳이 아니야. 다시 지방까지 명을 하달하려면 시간이 걸릴 거다."

"어떻게 될까요?"

"별일 없을 거다."

초조한 나와 달리 환은 여유로웠다.

"왕은 나를 못 죽이니까 말이다."

"그런 게 어딨습니까? 마음만 먹으면 누구든 죽일 수 있지요."

"나만 조용히 있으면 굳이 날 죽이고 싶어 하진 않을 거다."

환의 목소리에서는 기묘한 확신이 느껴졌다.

"그리고 내가 그를 친 것도 아니고, 대단한 사고를 낸 것도 아니고. 그 정도 이유로 죽일 거였으면 진작 날 죽였겠지."

정말 그랬으면 좋겠다는 생각이 들어 더 반박하지는 않았다. 나는 한성의 일이 어떤 식으로 돌아가는지 전혀 모른다. 그저 환의 말을 믿는 수밖에 없었다. 게다가 우리 둘이서 걱정한다 한들 무엇 하나 바꿀 수 없는 일이었다.

"그래도 혹여나 나리께서 그 일로 다시 문초를 당하신다면 제가 증언을 서겠습니다."

내가 환을 위해 해줄 수 있는 일은 그 정도뿐이었다.

"아서라. 괜히 너까지 난처해질라."

"나리께서 무사하실 수 있다면 조금 난처해지는 것은 상관없습니다."

환은 침묵했다. 눅눅한 대기 속으로 그의 한숨이 번졌다. 어쩌면 이런 누추한 삶은 그가 미련을 두기에는 너무 하찮을지도 몰랐다. 나에게는 보석 같은 순간을 그가 쉬이 놓아버릴 것이 겁이 났다.

순전한 이기심으로 그를 안았다. 당신 없이는 살 수 없으니 먼저 떠나지 말란 말이 목에 턱 걸려 올라오질 않았다. 그는 무슨 생각을 했는지 고요히 내 이마에 입을 맞췄다.

"나리, 그러면 이렇게 하지요. 제가 곤란할 때 관아까지 와주셨듯이, 저도 그렇게 하겠습니다. 혹 제가 또 무슨 일이 생기면 나리께서도 저를 위해 증언해주십시오."

세상은 나 같은 것의 말을 귀담아 듣지 않겠지만.

죄수인 환이 나를 지킬 방도는 없겠지만.

힘없는 맹세가 눈물처럼 반짝였다.

환이 빙긋이 웃었다.

"그래, 우리 서로를 위한 증인이 되자."

무력하고 사랑스러운 약조였다.

점심 무렵까지도 장대비가 내렸다. 보통 장마 때는 집안에만 박혀 있어 무료했는데, 환과 노닥거리니 시간이 아쉬울 정도로 빠르게 흘렀다.

나는 문을 활짝 열었다. 비 냄새가 훅 끼쳤다.

"나리, 요 앞까지만 나가보시겠습니까?"

어차피 오늘은 아무도 오지 않는다. 어쩌면 장마 내내 그럴 것이다.

"요사이 전혀 나가신 적이 없으니까요."

"비가 오는데?"

"비 맞는 거 싫어하십니까?"

"별로 맞아본 적이 없다만."

환은 그렇게 말하며 자리를 털고 일어났다. 그가 망설이는 듯하기에 내가 먼저 맨발로 젖은 땅에 뛰어내렸다. 환이 빌려준 옷은 내게 너무 커서 옷 틈으로 빗물이 다 흘러들어왔다. 몇 초 서 있었을 뿐인데 나는 금방 물에 젖은 생쥐 꼴이 되었다.

"오십시오, 나리."

나는 아직 처마 밑에 선 그에게 손을 내밀었다. 그는 내 손을 가볍게 잡았다. 그리고 심호흡을 하더니 빗속으로 뛰어들었다.

"발밑 조심하십시오."

거센 빗소리에 목소리를 높여야 했다. 환의 발은 나와 달리 부드럽고 굳은살도 거의 없었다. 일평생 신만 신고 산 사람의 발이었다. 잘못 돌이라도 밟았다간 꽤 아플 것 같았다. 나는 그를 끌고 조심조심 앞서 걸었다.

우리는 문을 나가 절벽 끝까지 걸어갔다.

파도는 성난 듯 몰아쳤다. 높은 파도가 우리를 휩쓸어버릴 것만 같았다.

환도 나도 비에 흠뻑 젖었다. 얇은 흰 옷 안으로 그의 살이 비쳐보였다.

비는 점점 세차게 퍼부었다. 바로 마주 서 있는데 서로가 흐리게 보일 정도였다. 빗물이 자꾸만 속눈썹을 때려 눈을 찌푸렸다.

"나리."

요란한 빗소리와 폭발하는 듯한 파도 소리가 말소리를 먹었다.

"즐거우세요?"

그의 귓가에 닿았을까? 그도 무언가를 말하는 것 같은데 내게 들리지 않았다. 이 상황이 우스워서 나도 모르게 소리 내서 웃었다.

"하나도 안 들립니다."

서로 안 들리는데도 우리는 무언가를 열심히 말했다. 말이 닿지 않는데도 마음이 닿는다.

"저도 나리가 좋아요."

하지 못한 말,

"계속 같이 있고 싶어요."

할 수 없었던 말이 빗속에 속수무책으로 녹아내렸다.

닿지 못한다는 것을 알기에 비로소 마음껏 말할 수 있었다.

"그러니까, 나리, 무슨 일이 생기더라도……"

스미어오는 두려움에 손끝이 잘게 떨렸다. 눈물을 가려주는 빗물이 고마웠다.

그의 목숨은 늘 벼랑 끝에 매달려 있었다. 나의 아비가 늘 가난과 질병 끝에 매달려 근근이 살아갔듯이.

빗물이 두려움을 씻겨 내리고, 나는 해묵은 다짐을 폭우 속으로 내던졌다.

"무슨 일이 생기더라도 저는 나리를 놓지 않을 겁니다."

높은 파도가 절벽 위까지 튀어올랐다. 부서진 바닷물이 한쪽 뺨을 적셨다. 순간 그가 내 허리를 확 끌어당겼다. 발꿈치를 들자 그가 기다렸다는 듯 입술을 맞대어왔다.

빗물이 문대지면서 서로의 입술이 뻑뻑하게 비벼졌다. 우리는 정신없이 서로의 혀와 입술을 탐했다. 미처 소리로 듣지 못한 서로의 말들을 맛보기라도 하려는 듯이.

빗물 때문인지 그의 열기가 더 짙게 다가왔다. 허리 아래로 열이 번졌다. 바로 이 순간 그가 너무도 나를 원한다는 사실이 선명하게 느껴졌다.

그는 방으로 돌아오자마자 나를 눕혔다. 젖은 옷을 벗지도 않았다. 열린 문밖으로는 여전히 비가 몰아치고 있었다.

"나리, 바닥이 젖습니다."

"내가 치울 건데 뭐 어떠니."

그는 내 하의를 내렸다. 빗물에 젖은 옷은 잘 벗겨지지 않았다. 그는 옷을 어정쩡하게 허벅지 위쪽까지만 끌어내린 후 자신의 허리춤을 풀었다. 그는 내 다리를 들어 둔부에 성기를 갖다 댔다. 다

리를 벌릴 수가 없어 몸이 그대로 접혔다. 이미 흥분해서 노곤해
진 아래로 성기가 깊숙이 파고들었다.

"아가, 왜 이렇게 젖었어?"

"나리 때문에……."

내 말에 환은 낮은 웃음을 흘렸다가 이내 눈살을 가볍게 구
겼다.

"그렇게 부르지 말고."

"산."

그는 표정을 풀고 느긋하게 허리를 뺐다. 곧 성기가 안으로 부
드럽게 밀려들어왔다. 여유는 얼마 가지 않았다. 그가 거칠게 몸
을 움직일 때마다 천이 머금은 빗물이 찰박찰박 튀었다.

🌑🌒🌓🌔

한번 행복을 맛보면 더 큰 욕심이 생겨버린다. 환과 이렇게 오
랜 시간을 보낸 것은 처음이었다. 할 수만 있다면 평소에도 이렇
게 같이 있으면 좋겠다는 생각이 들었다. 무력한 바람이었지만
간절했다.

다음 날도 비는 굵었고, 감시병은 오지 않았다. 쉬지 않고 내리
는 바지런한 비가 고마웠다.

나는 엎드려 환이 가지고 있는 책들을 뒤적였다. 어느 책장에

서 바짝 마른 은행잎 하나가 떨어졌다. 내가 그것을 집어 유심히 보자 환이 다가왔다.

"아마 몇 해 전 끼워둔 것 같은데."

그는 낙엽을 건네받고 잠시 고민했다.

"후원에서 주웠던 것 같구나."

"원래 이렇게 낙엽을 꽂아두는 겁니까?"

"그래. 그냥 가을이면 으레 하는 거지. 특별한 의미 없이도."

"그럼 가을이 되면 제가 뒷산에서 낙엽을 잔뜩 주워오겠습니다. 책장마다 끼워둘 수 있게요."

그렇게 우리의 가을을 바짝 말려 오래오래 펼쳐보면 좋겠다 싶었다.

"아니, 뭐 그렇게 많이는……."

환은 난처한 듯 웃다가 이내 고개를 끄덕였다.

"그래. 그렇게 하자. 책장마다 꽂아두면 좋겠구나."

가을이 되면 이 섬의 산에는 참 예쁘게 물드는 나무들이 많다. 붉은 단풍도 노란 은행도 잎이 넓은 낙엽도, 몇 갈래로 갈라져 갈색 빛이 어지러이 피어나는 잎도 있다. 벌레 먹지 않은 고운 잎만 골라 환에게 선물하고 싶었다. 내 빈곤한 선물을 보고도 그는 분명 가을의 쓸쓸함 속 파묻힌 아름다움을 꺼내줄 것이다.

밤이 되자 천둥까지 치기 시작했다. 혼자 들을 때는 시끄럽기만 하던 천둥소리도 지금은 싫지 않았다. 우리는 등불을 켜놓고 빗소리를 들었다. 환은 벽에 기대어 앉아 눈을 감았다. 흰 벽에 그의 그림자가 크게 아롱졌다. 내가 가까이 가서 마주 앉자 환이 슬며시 눈을 떴다.

"무슨 생각하십니까?"

"옛날 생각."

"평소에도 자주 하십니까?"

"아니, 그냥 가끔."

환은 얕게 한숨을 내쉬었다.

"인화야. 광증으로 유폐된 왕후의 이야기를 들어본 적이 있니?"

나는 환이 또 무슨 옛날이야기를 해주려나 싶어 고개를 저었다. 거센 바람이 닫힌 문을 뒤흔들었다. 문틈으로 새어 들어온 바람에 등불이 춤추며 그의 그림자도 파도처럼 일렁거렸다.

"내 모친의 이야기다."

빗소리가 묵직했다.

"원래는 좋은 분이셨다. 모두에게 자상했지. 내가 선왕에게 후궁이 많았다는 이야기를 했던가?"

"하셨습니다."

"원래 궁은 가만둬도 암투가 벌어지는 곳이다. 그런데 선왕은 내명부의 갈등에 기름을 끼얹곤 했지."

"어떻게 말입니까?"

"선왕은 늘 새로운 여자를 찾고 그 여자에게 애정을 갈구했어. 여자들의 마음을 얻기 위해서 심심찮게 미끼를 던지곤 했지."

"미끼요?"

"그래. 그 여자들에게 가장 좋은 미끼는⋯⋯."

환의 시선은 허공 어딘가에 멎어 있었다. 그는 짧게 냉소를 흘렸다.

"나였어. 정확히 말하자면 세자라는 자리. 선왕은 걸핏하면 후계를 바꿀 수 있다는 암시를 흘렸고, 후궁들은 거기 매달렸지."

환의 눈빛에 서늘한 경멸이 비쳤다.

"그래서 세자로서의 내 자리는 불안하기 그지없었어. 후궁들에게 나와 내 모친은 끌어내려야 할 존재였으니 공격이 끊이지를 않았고. 거기다 늘 새 여자의 관심을 갈구하는 선왕에게 본처인 내 모친은 가장 시시한 여자였지."

"외로우셨을 것 같습니다."

"내 모친이?"

"⋯⋯나리도요."

사방이 적이고 부친마저 믿을 수 없었을 어린 시절의 환을 상상했다. 환 같은 사람이 어떻게 동생을 죽였을까 가끔 이상하다 생각했는데 이제는 알 것 같았다. 독해지지 않으면 결코 그 시간을 뚫고 올 수 없었을 것이다.

환은 한참 말이 없었다. 그는 손가락으로 감은 눈을 꾹 누르고 심호흡을 했다. 나는 가만히 곁에 앉아 그가 다시 입을 열길 기다렸다.

천둥이 몇 번이나 내리친 후에야 환은 다시 숨을 가다듬고 이야기를 이어갔다.

"그러던 어느 날, 내 외조부가 처형당했다."

"예?"

"그 일의 충격으로 어머니는 마음의 병이 들었지. 도저히 궁에 둘 수 없는 상태라 사가에 유폐되었어."

담담하던 환의 목소리가 흔들렸다. 그는 끝내 손바닥으로 두 눈을 가렸다. 울음을 참는 듯 이를 악 문 채로 그는 또 한참을 침묵했다.

"내가 유폐시켰다."

환의 고백이 무겁게 정적 속으로 가라앉았다.

"내가……."

나는 바닥에 떨군 그의 손을 부드럽게 잡았다. 죄인인 환에게 내가 해줄 수 있는 유일한 위로였다.

환은 길게 한숨을 내쉬고는 얼굴을 가리던 손을 내렸다. 눈가가 붉었다.

"알고 보니 그 일의 배후에는 자신의 아들을 왕으로 만들고 싶었던 어떤 후궁의 모략이 있었지. 유야무야되었다만……."

닫힌 창으로 빛이 번쩍 했다. 번개가 내리친 모양이었다. 곧이어 하늘이 우는 소리가 들렸다.

"그런 공격들을 다 물리치고 어떻게든 왕위에 올랐지. 나를 지키기 위해 남을 해치는 법을 익혀가면서. 그때는 미친 듯이 그 자리를 붙잡고 있었지만, 이제는 돌아가고 싶지 않아."

환을 모르던 시절에는 막연히 왕궁이 부와 영예로 이루어진 곳일 거라 상상했었다. 하지만 나도 이제는 그곳이 배는 부를지 몰라도 마음은 주린 곳이라는 것을 안다. 옛이야기를 하는 환의 음성에는 늘 그리움보다는 분노가 묻어났기 때문이다.

"처음부터 내겐 버거운 자리였는지도 모르겠구나. 내 자리는 차라리 이곳인 것 같기도 하고."

괴로운 이야기를 털어놓은 것은 환인데, 그는 오히려 나를 위로하듯 뺨을 보듬었다.

"나리, 정말 이곳이 한성보다 좋으십니까?"

"그럼. 좋고말고."

그가 이곳이 좋다 할수록 나는 돌연 쓸쓸해지곤 했다. 가시덤불에 갇혀 밖으로 한 발자국도 나가지 못하는 이곳이 좋을 리가 없다. 어쩌면 한성에서의 세월이 환에게는 이 유배보다 가혹했던 것일까.

말소리가 끊기자 무거운 침묵이 흘렀다.

환에게 왕좌는 지켜야 했던 것인 동시에, 잊고 싶은 것일 테다.

하지만 우습게도 도망치고 싶은 기억일수록 오래오래 사람의 발목을 잡아챘다. 내게 아비의 죽음이 그러하듯이.

환은 천천히 양손으로 내 얼굴을 감싸 쥐더니 입술을 붙였다.

그가 방금 이야기로부터 달아나고 싶어 한다는 것을 느꼈다. 나는 입술을 오물거리며 그에게 더 붙어 앉았다. 그의 과거를 바꿀 수는 없겠지만, 적어도 이 순간 몰아낼 수는 있을 것 같았다.

나는 아무 예고 없이 그의 하의 안으로 오른손을 집어넣었다. 갑작스러운 접촉에 환이 움찔했다. 손이 닿자마자 그의 성기는 몸을 불리기 시작했다. 몇 번 쓰다듬지도 않았는데 열을 내며 빳빳해졌다. 슬쩍 옷을 끌어내려 그의 성기를 꺼냈다.

"아……."

환의 입에서 작은 소리가 흘러나왔다. 얼굴을 떼고 그의 표정을 찬찬히 관찰했다. 그는 좀 당황한 것 같긴 했지만 그만하라고는 하지 않았다. 교합을 하는 것처럼 손을 아래위로 흔들자 환은 지그시 아랫입술을 깨물었다. 구멍에서 미끄러운 액체가 주륵 흘러나왔다. 검지에 액체를 묻혀 앞을 문질렀다. 그의 숨소리가 점점 거칠어졌다.

평소라면 이런 일은 못했을 것이다. 해가 뜨기 전까지 서로를 안기에 급급했으니까. 하지만 지금은 이렇게 그의 반응을 보며 장난칠 여유도 생겼다.

왼손으로 그의 오똑한 콧날이 드리운 그림자를 쓸었다.

다시 그와 입술을 맞댔다. 입술이 맞부딪칠 때 코끝이 겹치는 몽글한 느낌이 좋았다. 환의 콧날은 뾰족한 편이라 겉보기에는 딱딱하고 날카로워 보였는데, 막상 코끝으로 콕콕 눌러 보면 살짝 들어가는 게 귀여웠다. 내가 재미삼아 코를 자꾸 비비자, 그는 샘물을 긷듯 내 입안 깊은 곳을 핥아 올렸다.

나는 손목을 가볍게 튕겼다. 맞닿아 있던 그의 입술에서 약한 신음이 흘러나왔다. 손을 빠르게 움직일수록 그의 반응도 점점 격해졌다. 나는 입술을 떼고 환을 마주보았다. 눈동자가 열기로 흐려져 있었다.

"무슨 생각하세요?"

"아니, 아무 생각도……. 아무 생각도 안 나……."

그가 손을 뻗어 내 팔을 꽉 잡았다.

"아, 아가, 조금만 더……."

자극은 계속되는데 좀처럼 끝이 오지 않으니 견디기 힘든 모양이었다. 그는 가쁘게 숨을 내쉬었다. 나는 그의 것을 좀 더 힘주어 쥐었다. 환이 느끼는 모습을 맨 정신으로 본 것은 처음이었다. 그가 파정을 할 때쯤에는 나도 늘 제정신이 아니었으니까. 선홍색 입술 사이로 열기를 띤 신음이 약하게 흘러나왔다. 흐트러짐 없던 눈동자도 쾌락에 젖어 나를 괴롭게 응시하고 있었다. 손도 대지 않은 아래가 저절로 젖어들었다.

환은 눈을 질끈 감았다. 그의 짧은 손톱이 이불 위를 긁었다.

"웃……!"

잇새로 새어 나온 다급한 소리와 함께 뿌연 액체가 튀어올랐다. 나는 곧장 다시 입을 맞췄다. 그는 흘러들어가는 내 타액을 받아마셨다. 예민해진 물건을 부드럽게 어루만지자 환은 거의 정신을 잃을 것처럼 허덕였다. 그는 괴로운 듯 눈살을 구기고 입은 다물지 못한 채 손이 움직일 때마다 허리를 움찔거렸다. 가득 흘러나온 액체 때문에 손과 기둥이 마찰하는 소리가 적나라했다.

이 순간만큼은 환의 곁에 내가 있어 참 다행이라 생각했다. 나는 그를 홀로 두지 않을 것이다. 언젠가 우리의 세상이 끝나 그가 영영 내 곁을 떠날 때까지 함께 머물러줄 것이다. 그도 그 이상은 바라지 않았고, 나도 이걸로 족했다.

왜 이 비는 영원하지 않을까. 우리에게 햇살 따윈 필요 없는데. 맑고 화창한 하늘 따위 우리에겐 방해일 뿐인데.

하늘이 쪼개지는 듯한 천둥소리가 들렸다. 이 비가 영영 내려 모든 게 물살에 쓸려가버렸으면 좋겠다. 물로 엎어진 세상에서는 우리가 떨어지지 않아도 될 테니.

장마는 열흘 만에 지나가버렸다.

비가 그친 새벽 나는 미적미적 그의 집을 나섰다.

"내년에도 장마는 오겠지."

그가 나를 따라 나오며 말했다.

다음 장마 때도, 그리고 그 다음 장마 때도 우리는 함께 있을 것이다. 어쩐지 나로서는 그 사실이 한 치도 의심할 수 없는 굳건한 진실처럼 여겨졌다. 내일의 일도 모르는 주제에 말이다.

사랑은 이렇게 사람을 오만하게 만든다.

⟨⟨⟨⟨(

장마가 지나자 매미가 요란히 울기 시작했다. 처마 바로 아래에서 매미가 울어 젖히는 바람에 귀가 아플 지경이었다. 쫓아버려야 하지 않겠느냐 물었더니 환은 재깍 답을 못하고 망설였다.

"나리, 혹시 매미 무서워하십니까?"

"아니, 굳이 매미가 무섭다기 보다는……."

"벌레 무서워하십니까?"

"무섭긴. 그냥 낯설어서 그러지."

말은 그렇게 하는데 어째 범이 나타났던 날보다 더 경직되어 보였다.

마침 물이라도 끓여올까 하던 참이라, 선뜻 자리에서 일어났다.

"제가 쫓아내지요, 뭐."

"아, 아가."

그가 내 옷소매를 잡았다.

"죽이지는 말고."

"불쌍해서 그러십니까?"

"어차피 얼마 살지 못하는 것들이잖니."

나도 굳이 죽일 마음까지는 없었기에 다가가 매미를 잡아챘다. 내가 손으로 매미를 잡자 환이 움찔했다. 조금 골려줄까 싶다가 관두고 매미를 저편 나무로 던졌다.

"벌레를 무서워하시면 여름철에 여기서 지내기 힘드실 텐데요."

"무서운 게 아니라 낯선 거니까 익숙해지겠지."

그렇게 굳은 얼굴로 말하니 믿어주고 싶어도 믿을 수가 없었다.

"이런 것까지 네 손을 빌리고. 한심하지?"

그가 풀이 죽어 물었다.

그리 한심하지도 싫지도 않았다. 그냥 환이니까 그럴 만도 하다고 생각했다. 사소한 일이지만 그가 나를 필요로 해주는 것도 좋았다.

"저한테는 별로 힘든 일도 아닌데요. 사람마다 싫어하는 것도 있는 거고요."

"인화 너는 무얼 싫어하니?"

환의 질문에 잠시 고민했다.

"나리와 헤어지는 것이 싫습니다."

내 답에 환의 표정이 밝아졌다. 말하면서도 좀 야살스러운 소린가 했지만 그의 미소를 보자 그런 생각은 단숨에 씻겨나가버렸다.

"그래. 쭉 이렇게 지냈으면 좋겠구나."

그가 내 손을 잡았다.

"나리, 이거 매미 잡았던 손인데요."

"무서워하는 게 아니래도."

그는 내가 놀리는 게 분한지 일부러 손을 꾹 힘을 줘서 잡았다. 내가 웃기 시작하니 이내 그도 따라 웃었다.

"먼저 들어가 계세요. 전 물 좀 끓여서 들어가겠습니다."

"내가 해도 되는데."

"한 세월 걸리시지 않습니까? 제가 하는 게 훨씬 빠릅니다."

환은 내 말을 반박하지 못하고 방으로 들어갔다.

부엌에 들어오자마자 한숨이 났다. 쌀은 좀 남아 있었지만, 다른 재료는 말라비틀어진 고사리와 언제 캤는지도 모를 쑥이 전부였다.

내일은 시장에 들러 싱싱한 채소라도 좀 구해와야겠다는 생각이 들었다.

막 불을 붙이고 물을 올리려 할 때였다.

타닥타닥.

이 오밤중에 울릴 리 없는 소리가 귓전을 때렸다.

사람들의 발걸음 소리였다.

나는 급하게 불을 끄고 밖으로 나갔다.

관아의 사람들일까? 아니, 이 오밤중에 관아에서 올 리는 없다. 그럼 덕이 일당인가? 그놈들이 기어코 환을 해치려는 걸까?

"나리, 누가 옵니다. 나오지 마십시오!"

방문에 대고 냅다 외친 후 다시 부엌에 몸을 숨겼다. 집밖으로 어설프게 나갔다간 오히려 저 사람들과 정면으로 부딪칠지도 몰랐다.

나는 끝이 반쯤 타버린 부지깽이를 찾아 든 후, 어둠 속에서 밖을 엿보았다.

대문이 거의 부서지듯 열렸다.

검은 옷을 입은 사람들이 마당으로 우르르 들어왔다. 얼핏 보아도 열은 넘었다. 이 마을에서는 본 적 없던 얼굴들이었다. 개중 덩치가 가장 좋은 사내가 앞으로 걸어 나와 외쳤다.

"이안군은 나와 어명을 받으십시오!"

어명?

순간 머릿속에 하얘졌다. 손에 힘이 빠지면서 부지깽이가 바닥에 떨어졌다.

방문이 열리는 소리가 들렸다.

"무슨 일인가?"

환이 남자들 앞으로 다가갔다. 환의 그림자가 위태롭게 늘어졌다.

대답 대신 사내들은 서슬 퍼런 칼날을 꺼냈다. 환을 둘러싼 칼

날들이 달빛을 받아 시리게 빛났다. 금방이라도 피바람이 불 듯 삼엄했다.

일이 무언가 크게 잘못된 게 틀림없었다.

나는 본능적으로 부엌을 뛰쳐나갔다.

"인화야, 오지 마!"

환이 다급하게 외쳤다. 나는 환의 앞을 막아섰다. 환이 내 어깨를 안았다. 수상한 사람들의 시선이 온통 내게 꽂혔다.

"한성에서, 오신 분들입니까?"

침착하게 물으려고 하는데도 턱이 덜덜 떨렸다. 수령이 그때 올려 보낸 보고 때문에 사달이 난 게 틀림없다. 환은 왕이 자길 죽이지 않을 거라 했지만, 지금 우리를 둘러싼 무사들은 당장 환을 도륙하고도 남을 것 같았다. 오해다, 그 보고는 잘못된 것이다, 어떻게든 설명을 하려 할 때 정면에 있던 무사가 입을 열었다.

"금위영에서 왔습니다, 이안군."

금위영은 어디고 이안군은 또 뭐란 말인가. 머뭇거리는 사이 환이 내 앞으로 나섰다. 무사가 겨눈 칼끝이 그의 가슴을 아찔하게 톡 찔렀다.

"나리, 제발, 제발⋯⋯."

"괜찮다, 인화야. 이야기를 좀 해보려는 것뿐이니."

환이 귓가에 속삭였다. 그는 다시 무사를 정면으로 노려보았다.

"궁에 있어야 할 금위영의 무사들이 여길 왜 왔는가?"

"주상께서 보내셨습니다."

"왜? 좌상이 또 이전처럼 날 죽이라 주청이라도 올렸는가? 그래서 주상이 드디어 날 죽일 마음이 든다던가?"

환의 당당한 태도에 덜컥 겁이 났다. 이럴 때는 바짝 엎드려 빌어야 하는 것 아닌가. 무슨 죄인지 몰라도 그저 용서해달라 울어야 하는 것 아닌가. 적어도 우리 마을 사람들은 모두 그렇게 했다.

그러나 그는 태생부터 그런 비굴함을 익히지 못한 사람 같았다. 환은 눈길조차 내리지 않았다. 죄인은 환인데도, 둘러싼 무사들이 오히려 눈을 피했다.

"보고가 올라왔습니다."

"아, 그 보고? 위리안치를 어기고 밖을 돌아다녔다고?"

환이 피식 웃었다.

"그런 이유로 날 죽이는 건 별 상관없다만, 주상께서 영 면이 서지 않을 텐데……."

환의 말에 정신이 아득해졌다. 나는 그의 옷소매를 꽉 쥐었다.

"나리, 제발 상관없다고 말하지 마세요. 제발……."

내 말을 들었는지 환은 더 아무 말도 하지 않았다.

환의 가슴께에 닿은 무사의 칼이 파르르 전율했다. 불길한 첫소리가 작은 마당을 메웠다.

"이안군."

무사가 환을 똑바로 바라보며 말했다. 그제야 이안군이라는 말이 환을 가리키는 것임을 깨달았다. 환은 제 이름을 환이라고만 했고, 마을 사람들은 늘 환을 "그 양반"이나 "그 죄수"라고만 불렀기에 환의 다른 이름은 생소했다.

"이안군께서 이곳에서 역모를 꾸미신다는 상소가 올라왔습니다."

"역모라니요?"

어마어마한 단어에 다리에 힘이 쭉 빠졌다.

"말도 안 됩니다. 나리께서 그럴 리가 없습니다."

정말 말도 안 된다. 환은 내내 여기에 갇혀 누구도 만나지 못한다. 기껏해야 몰래 만나는 내가 전부다. 환이 그런 일을 하지 못할 뿐더러 그럴 마음이 없다는 걸 내가 안다.

"역모라고? 이 섬 바닥에서?"

환도 어처구니가 없다는 투로 되물었다.

"예. 이안군께서 친백파와 서신을 주고받으며 역모를 꾸미고 있다고 하기에, 주상께서 직접 조사를 위해 저희를 파견하신 겁니다."

"나를 역도로 몰 증좌를 찾으러 오셨다 그 말이군."

"들어가서 샅샅이 뒤져봐라. 조금이라도 수상한 것이 있는지."

남자의 명에 무사들은 부엌과 방으로 뛰어 들어갔다. 남자의 시선이 내게 멎었다.

"이 아이는 아무 상관없네."

환이 억세게 나를 떼어냈다.

"인화야, 별일 없을 거다. 우선 돌아가. 내일 이야기하자."

"못 갑니다."

"별일 없을 거래도. 내일 자세히 말해주마."

"못 가겠습니다."

옥신각신하는 사이 방에서 무사 하나가 뛰쳐나왔다.

"찾았습니다!"

그는 손에 곱게 접힌 종이 몇 장을 들고 있었다. 어느 구석에 처박힌 걸 꺼냈는지 먼지가 그득하게 묻어 있었다.

"장롱 뒤편에 감춰두었더군요. 수상한 편지 같아 열어보니……."

"잠깐만요! 이건 뭔가 이상합니다!"

미처 상황 판단을 할 사이도 없이 말이 먼저 튀어나갔다.

"조용히 못 해?"

칼끝이 획 돌아 내 목을 겨눴다.

"이건 무슨 짓인가?"

환이 내 몸을 확 뒤로 뺐다.

"가만히 계십시오. 곱게 다뤄드리고 싶으니 말입니다."

남자는 낮게 경고하고 편지를 펼쳐보았다. 한 줄 한 줄 읽어 내려가는 남자의 표정이 심상치 않게 굳었다. 막 부엌을 뒤지고 나온 무사들이 우리를 둘러쌌다.

"설마했는데……. 진짜로 친백파와 연통을 주고받고 계실 줄이야."

남자가 혀를 찼다.

"대단하십니다. 이렇게 명백한 증좌를 두고도 그렇게 꼿꼿하시다니."

"대체 무슨 편지인지 몰라도 내가 쓴 게 아니야."

"그럼 여기 이안군 말고 이걸 쓸 사람이 누가 있습니까?"

"나도 그게 궁금하군."

"한성에 올라가 문초를 하면 차차 밝혀지겠지요."

한성이라는 단어에 온몸이 얼어붙는 느낌이었다. 남자는 편지를 품에 챙긴 후 무사들을 불러 모았다.

"날이 밝는 대로 한성까지 모시겠습니다. 얌전히 오시지요. 한성에 도착해서 이 편지가 조정에 올라가면, 이렇게 왕족으로 대우 받으시는 것도 끝날 테니 말입니다."

"나리께서 쓰셨을 리가 없습니다! 편지를 보여주세요. 제가 보면 압니다. 그게 나리께서 쓰신 것인지 아닌지……."

"저 애도 잡아라."

남자가 차갑게 나를 쏘아보았다. 나 같은 건 눈 하나 깜짝 않고 죽일 수 있을 것 같은 섬뜩한 눈빛이었다. 환은 다가오는 무사들에게 나를 뺏기지 않으려 제 품에 꽉 끌어안았다.

"아니, 아니. 이 아이는 아무 죄도 없어. 아무 것도 몰라."

"자꾸 수상하게 버티시면 그 아이까지 한성에 잡아가는 수밖에 없습니다."

"그래, 내가 가지. 가서 그 증좌라는 편지도 확인해보고, 내가 역심이 없다는 걸 밝히면 되는 거 아닌가?"

환은 나를 안고 있던 팔을 풀었다. 나는 겁이 나서 그의 허리에 매달렸다.

"가시면 안 됩니다, 나리. 가시면 안 돼요."

"인화야. 지금은 마을로 내려가는 게 좋겠다. 넌 여기 있으면 안 돼."

"나리……."

환은 나를 안심시키려는 듯 살짝 웃어보였다. 그의 뒤편에 뜬 보름달이 어지럽게 일렁거렸다.

"잠깐만 이야기를 하게 해주게. 많이 놀란 모양이야. 아주 잠시면 되네."

환이 남자에게 부탁했다.

"이야기가 길어지면 그 아이도 수상하다 여겨 잡아갈 수밖에 없습니다."

"달래서 보내려는 것뿐이니 걱정 말게."

환은 나를 억지로 문 쪽으로 끌고 갔다. 환의 등 뒤로 칼을 겨눈 무사들이 보였다. 환은 내 어깨를 가볍게 짚었다.

"한두 계절만 지나면 돌아올 거야. 내가 잘못한 게 없는데 저들이 나를 어쩔 수 있겠니? 너무 걱정할 것 없대도, 왜 울고 그러니?"

그는 손바닥으로 내 뺨을 문질렀다. 이 온기를 다시는 못 느낄 것 같아 덜컥 겁이 났다.

"아가. 지금부터 내가 하는 말을 잘 기억해야 한다. 누가 나에 대해 물어보면 아무 것도 모른다고 해. 넌 나와 친하게 지낸 적도 없고, 오늘 이곳에 온 건 우연인 거다. 알겠니?"

환이 작게 당부했다.

"어떻게⋯⋯."

"아니야, 인화야. 이건 네가 생각하는 그런 상황이 아니다. 네가 여기 끼어들지 않아야 내가 빨리 돌아올 수 있어. 알겠지?"

"정말입니까?"

"그럼. 내가 이 상황에서 너를 속여 무엇하겠니? 그러니까 오늘은 집에 조심히 들어가렴. 그래야 내게 도움이 된다. 이해하지? 나를 돕는다 생각하고 일단 들어가 있어. 한성에서 일이 풀리는 대로 연락도 하고, 되도록 빨리 오도록 해볼 테니."

환은 그 말을 마치고 나를 문밖으로 밀어냈다.

나는 발걸음을 떼지 못하고 그를 물끄러미 올려다보았다. 환은 문고리를 잡았다. 그는 어떻게든 미소를 보내려는 듯 긴장된 입꼬리를 당겼다. 눈앞에서 문이 닫히며 조금씩 그의 모습이 사라졌다.

아주 천천히.

환은 올 때와 달리 오라에 묶여 떠났다. 환이 한성으로 압송된 다는 소식을 어떻게 들었는지 이른 새벽인데도 구경꾼들이 나와 줄을 지어 있었다. 저편에서 환이 걸어왔다. 묶여 있기는 했지만 처음 오던 날처럼 당당했다. 사람들은 차마 더 다가가지 못하고 저만치 떨어져서 그를 바라보고 있었다.

"잠깐만요, 잠깐만 비켜주세요."

나는 막무가내로 인파를 뚫고 그에게 달려갔다.

그럴 리가 없다. 무언가 잘못된 거다.

그 말이 혀끝까지 올라왔지만 그런 말은 도움이 되지 않는다고 환이 그랬다. 나는 입을 꾹 다물고 그의 곁을 따라 걸었다. 무사 하나가 나를 어떻게 할지 옆 무사와 의논했다.

"내버려둬. 이상한 기색을 보이면 그냥 같이 잡아가고."

그 말소리가 내 귀에까지 똑똑히 들렸다. 환은 내가 곁에 있는 것을 알면서도 눈길 한번 주지 않았다. 이제 사람들의 시선은 환이 아닌 내게 쏠려 있었다. 마을 사람들이 나를 보고 수군댈 것을 알았지만 그런 것은 상관없었다. 관아에서 사통이라 나를 다시 잡아 처넣어도 그만이다. 그런 것은 지금 중한 일이 아니었다.

부둣가에는 큰 배가 기다리고 있었다. 저 배를 타고 환은 다시 한성으로 돌아갈 것이다.

배 앞에 도착하자 무사들은 출발할 준비를 하느라 흩어졌다. 몇 걸음 떨어진 곳에 서성이는 무사 두엇만이 우리를 감시하고 있었다. 그제야 간신히 그에게 작은 소리로 말을 걸었다.

"한두 계절이지요?"

"그럼."

그가 흘깃 나를 내려다보았다. 나는 묶여 있는 그의 양 손목을 끌었다. 그리고 왼 손목에 실을 꼬아 만든 팔찌를 엮어주었다. 지난 달 시장에서 실을 사두고도 좀처럼 만질 틈이 없어 내버려뒀던 것을 어젯밤 급하게 완성했다. 푸른색이 그에게 잘 어울릴 것 같다 생각했는데 딱이었다. 이런 실은 색마다 의미가 있다는데 그런 것까지는 몰랐다. 환은 팔찌를 내려다보더니 빙긋이 웃었다.

"인화야."

"예."

"별일 없을 거다."

지금은 그의 말에 고개를 끄덕이는 게 내가 할 수 있는 전부였다.

"나리, 몸 건강히 다녀오십시오."

"그래."

"혹 차후에 다른 곳으로 가시진 않겠지요?"

"글쎄, 이 섬만한 유배지가 없으니 어디로 보내겠니? 혹여나 다른 곳으로 간다 해도 어떻게든 네게 연락은 해주마."

그 말을 듣자 아주 조금 마음이 놓였다.

환은 돌아올 것이다. 고작해야 한두 계절이다. 나는 본래 가진 것보다 없는 것에 익숙한 사람이다. 환이 없는 한두 계절쯤이야 일을 하며 정신없이 보내면 된다.

"인화야."

"예."

그는 한참이나 다음 말을 못 하고 머뭇거렸다. 환의 입가가 웃을 듯 울 듯 움찔거렸다. 갑작스럽게 닥친 작별은 슬프다기보다 얼떨떨해서, 환도 나도 어떤 표정을 지어야 할지 모르는 것 같았다.

무사들이 배에 올라타기 시작했다. 배는 당장이라도 떠날 것처럼 출렁였다. 파도가 심한 날이었다.

"가기 전에 내 이름 한 번만 불러줄래?"

환이 간신히 입을 떼고 물었다.

"산."

나는 크고 또렷하게 그의 이름을 불렀다.

환이 아니라, 이안군이 아니라, 산.

그가 살짝 웃었다. 바닷바람이 우리를 매섭게 치고 갔다.

"고맙다."

그는 마지막 인사를 남기고 배에 올라탔다.

배가 출발했다.

빠른 바람을 타고 저 수평선을 향해.

현실감이 없는 풍경이었다. 환은 내 인생에 갑자기 들이닥쳤던 것처럼 순식간에 날아가버렸다. 나는 배가 수평선을 완전히 넘어가버릴 때까지 그 모습을 응시했다.

어쩌면 다시 만나지 못할지도 모른다는 불안이 샘솟았다. 아닐 거라고, 환은 약속한 대로 꼭 돌아올 것이라 생각하면서도 좀처럼 눈길을 돌릴 수가 없었다.

그날 바다는 유난히 반짝여서, 환은 마치 별을 타고 떠난 것 같았다.

석양이 질 때까지 부둣가에 앉아 수평선만 바라보았다.

언제나 내게 바다 건너는 딴 세상이었다. 하지만 환이 딴 세상으로 가버렸다고 생각하면 너무 슬퍼져서, 이제는 육지를 그리 멀지 않은 곳이라 여기자 다짐했다. 저 수평선만 넘으면 코앞에 육지가 있는 것이다. 한성도 까짓것 미음먹고 가면 한달음인 것이다.

멀지 않다.

한두 계절이면 돌아온다.

돌아올 것이라 믿지 않으면 견딜 수 없었다. 당장 오늘밤 나를 안아줄 사람이 없다는 사실이 사무쳤다. 여름인데도 그를 싣고 간 바람은 가혹하리만치 차가웠다.

마을로 돌아왔을 때는 밤이었다. 태어난 거리가 낯설게 느껴졌다. 사람들은 전부 환의 이야기를 떠들어댔다. 무심한 말들이 귓구멍을 바늘처럼 찔러왔다.

"아, 글쎄, 이안군 그 양반이 역모를 꾸몄다잖아."

"잡혀온 사람이 겁도 없지."

"뭐, 한성에 있는 놈들이랑 편지를 주고받았다는데?"

"대체 어떻게 주고받대? 마을에 도운 사람이라도……."

한창 이야기를 나누던 남자들이 말을 멈추고 나를 힐긋거렸다. 나를 의심하는 게 분명했다.

하지만 나는 환에게 편지 같은 것을 전달해준 적이 없었다. 마땅히 짐작 가는 사람 역시 없었다. 역을 서는 동안에도, 밤을 보내는 동안에도 환을 따로 찾아온 사람은 아무도 없었으니까.

정말 환은 그런 편지를 썼을까. 내 눈을 피해 누군가 연통을 주고받았던 걸까.

아니다, 환은 그런 편지를 쓰지 않았다고 했다.

세상 사람들이 다 의심해도 나는 그의 말을 믿어야 했다.

그럼 환이 아니면 누가 쓴 편지란 말인가. 그 집은 몇 년째 폐가였다. 생각이 덜그덕거리기 시작했다. 마치 경첩이 어긋난 문처럼 이 모든 일들이 부자연스럽게 느껴졌다.

역시 이건 뭔가 이상하다. 아귀가 맞지 않는다.

"아저씨."

나를 힐끔거리던 남자들에게 다가갔다. 내가 갑자기 말을 걸어오자 그들은 도둑질이라도 들킨 것처럼 놀라며 눈을 돌렸다.

"오늘 아침에 제가 나리를 따르는 모습을 보셨나 봅니다."

"어? 아니, 뭐, 딱히 보려고 본 건 아니고……."

"아무튼 거기 나와 계셨던 거지요?"

"그거야 뭐, 이안군 그 양반이 한양에 잡혀 간다길래 구경 간 거지."

"참 신기합니다."

나는 남자들을 훑어보았다. 평상에 앉아 탁주를 마시던 네 명의 남자들은 서먹한 웃음만 흘렸다.

"아니, 신기하지 않습니까? 분명 나리께선 어제 늦은 시각 잡힌 것으로 알고 있는데, 어떻게 그 이른 시간에 소문이 쫙 퍼져서 다들 나왔을까요?"

"아니, 뭐, 우리도 이야기를 듣고 나간거지."

"누구에게 들으셨는데요?"

아까는 잘도 떠들어대더니 남자들은 꿀 먹은 벙어리처럼 아무 말도 못 했다. 나는 한숨을 푹 쉬고 평상에 걸터앉아, 널브러져 있던 빈 사발에 탁주를 따라 한 번에 들이켰다. 톡 쏘는 느낌에 속이 아주 잠시 개운해졌다.

"아니, 저기……."

"술값입니다."

나는 엽전 세 냥을 평상에 탁 올려두었다. 평소라면 눈물 나게 아까워서 못 썼을 돈이지만 지금은 하나도 아깝지 않았다. 엽전을 본 남자들의 눈빛이 변했다. 이 치들이나 나나 엽전 한 냥에 벌벌 떠는 건 마찬가지다. 탁주 한 사발에 세 냥이면 차고도 넘치는 값이었다. 이 돈이면 오늘 술값은 물론이고 안주 값도 충당할 테니 당연히 구미가 돌 테다.

"아니, 그런데 동네 사람들끼리 고작 한 잔에 술값 무는 건 참 인정머리 없습니다. 안 그렇습니까?"

나는 엽전을 다시 가져갈 듯 내 쪽으로 끌었다.

"그, 오늘 아침에 이안군이 잡혀간단 소식 말이야. 누구한테 들었나, 자네는?"

개중 눈치 빠른 남자 하나가 얼른 옆 사람의 옆구리를 찔렀다.

"아니, 난 뭐 그놈 있잖아. 키 큰 놈. 덕이랑 늘 어울려 다니는 그 친구. 그 친구가 새벽 댓바람부터 와서 알려주더라고."

"나는 그 누구야, 석이한테 들었는데."

"석이가 어릴 때부터 덕이 말을 그렇게 잘 들었어, 안 그래?"

"그치."

"야, 나는 덕이 그 친구한테 직접 들었는데. 그 친구들이 참 소식이 빠르단 말이야."

"젊어서 그런가 봐, 젊어서."

더 들을 것도 없었다. 덕이 놈이 분명 무언가 꾸민 것이다.

그놈이 예전부터 환에게 깔짝대던 것이 이것 때문이었나. 왜 더 빨리 눈치채지 못했을까.

하지만 지금은 후회나 하고 있을 때가 아니었다.

"그 소식 빠른 오라비들은 보통 어디서 모입니까? 지금은 밤이니 집에 들어갔겠지요?"

내가 이어 물었다.

"아니지. 걔네는 낮에는 퍼질러 자다가 밤에 나와 놀아."

"지금도 어딘가 있겠군요? 어느 주막입니까?"

나는 슬쩍 다시 엽전을 평상 가운데로 밀어놓았다.

"거기 있잖아, 시장 초입에 마당 큰 곳."

"거기 탁주가 끝내주지."

"에이, 우린 비싸서 못 가지."

"감사합니다."

곧장 일어나 시장 쪽으로 발을 옮겼다.

남자들의 말대로였다. 주막에서 덕이와 어울리는 패거리가 술판을 벌이고 있는 모습이 보였다. 막 주막 마당에 들어선 덕이가 그들을 향해 반갑게 손을 흔들었다. 나는 담 아래로 몸을 숨겼다. 덕이나 패거리는 나를 발견하지 못한 모양이었다.

몸을 낮추고 그들의 이야기가 들릴 법한 곳까지 가서 웅크려 앉았다. 시끌벅적한 취객들의 말소리 사이로 덕이의 목소리가 들렸다.

"이야, 수고했다. 다 너희 덕분이지."

"우리가 뭘. 한 것도 없는데."

패거리 중 하나가 어울리지 않게 겸양을 떨어댔다.

"아니지. 그때 너희가 편지를 제대로 숨겨두지 않았으면 일이 어긋났을 거야."

덕이의 말을 듣는 순간 피가 식는 기분이었다. 아, 그래, 그래서. 그래서 조용한 거였구나. 덫을 놓고 환이 걸리기만을 기다리고 있던 거였구나. 분노로 몸이 떨리기 시작했다.

그 이후의 말들은 듣지 않아도 알 수 있을 것 같았다. 관아에 끌려간 나를 구하러 환이 그 집에서 뛰쳐나온 후, 덕이 일당이 몰래 방으로 들어가 편지를 숨기는 모습이 머릿속에 그려졌다.

"우리야 네가 시키는 대로 한 것뿐인데 뭐."

"그렇게 쉽게 관아로 갈 줄은 몰랐는데, 안 그래?"

"하여간 멍청한 놈이었어. 오늘은 마음껏 마셔. 우리가 한 건 해낸 날이니까."

덕이가 낄낄댔다.

달려들까?

당장 들어가서 멱이라도 붙잡을까?

무슨 짓을 한 거냐고 외치고 사람들에게 덕이가 한 짓거리를 밝힐까?

아니, 아니다. 그런 방식으로는 환을 구할 수 없었다. 내가 외쳐봤자 사람들은 덕이 말을 더 믿을 테다. 나는 기껏해야 미친년 취급이나 당하고 그만일 것이다. 지금은 덕이 놈이 무슨 꿍꿍이 인지를 더 들어야 했다.

처음에는 시답잖은 이야기들만 오갔다. 하지만 술자리가 길어 질수록 취한 녀석들이 이상한 말들을 떠들기 시작했다.

"그럼 넌 이제 어떻게 되는 거냐?"

"이거 시킨 게 누군지는 이제 말해줄 수 있어?"

패거리들이 연달아 물었다. 저 멍청한 놈들은 누가 시킨 일인 지도 모르고 덕이 말을 따른 모양이었다. 하기야 덕이가 돈만 준 다면 간도 쓸개도 빼줄 놈들이긴 했다.

"너희 어디 가서 말하면 안 된다."

덕이가 말했다. 나는 저런 인간들을 잘 안다. 저런 허풍선이들 이 어디 가서 말하면 안 된다고 하는 것은 제발 소문 좀 내달라는 뜻이다. 정말로 숨기고 싶었다면 이런 주막에서 말하지도 않는 다. 덕이는 제가 화을 넘기는 데 일조했다는 것을 자랑하고 싶어 미칠 지경인 것이다.

"내 뒤에 있는 분이 굉장히 높은 분이시다."

"누구? 나라님?"

"에이, 나라님보다 높은 분이시지."

"그게 무슨 소리야? 나라님보다 높은 분이 어딨어?"

"나라님을 만든 사람이 나라님보다 높은 분이지."

이게 또 무슨 소리인가. 패거리들도 나처럼 덕이 말을 알아듣지 못했는지 잠잠했다. 덕이가 한심하다는 듯 한숨을 푹 내쉬었다.

"좌상 대감 말이야, 좌상 대감. 그분이 그 역적 놈을 쫓아내고 지금의 나라님을 자리에 올린 분이지."

"그런 대단한 분을 어떻게 알았어?"

"좌상 대감이 이 마을에 직접 사람을 보냈지. 그 사람이 몰래 좌상 대감을 도울 사람을 물색하는데, 딱 나만큼 믿을 사람이 없지 않느냐 이 말이야. 보통 놈들은 겁이 나서 그 역적 놈 때려잡을 생각도 못 하니까 말이지."

덕이의 말에 패거리들이 연신 감탄했다.

"이제 난 곧 한성으로 가게 될 거다. 가면 최소 오품은 주겠다는 거야. 너희 오품이 얼마나 높은지 아니?"

덕이가 으스댔다.

"그렇게 벼슬을 쉽게 줄 수 있는 거야?"

"좌상 대감이라니까? 그분 말이면 나는 새도 떨어트린다. 뭘 못하겠니?"

"자리가 난대?"

"자리는 곧 많이 날 거다."

덕이 놈은 아주 입이 근질근질한 모양이었다. 아무도 왜 자리가 많이 나느냐 묻지 않자 알아서 떠들어댔다.

"너희 그놈이 무슨 짓을 해서 한성에서 쫓겨났는지 알아?"

"남색을 했다던데?"

"제 엄마하고 붙어먹었다더라고."

"아니야, 이 머저리들아."

덕이가 혀를 쯧쯧 찼다.

"그놈은 말이야, 나라를 팔려고 했어."

"나라가 팔 수도 있는 거냐?"

"오랑캐들에게 아주 나라를 갖다 바치려고 했다니까?"

패거리들은 덕이의 말을 이해하지 못했는지 말이 없었다.

"대가리에 든 게 없으니 원. 그래도 연나라가 어딘지는 알지?"

"그 황제가 사는 곳?"

"그래. 그놈은 자기도 황제에게 책봉 받은 주제에 연나라를 버리고 후백이라는 별 요상한 오랑캐 나라에 붙으려 했다니까? 그래서 보다 못한 좌상 대감이 목숨을 걸고 이 나라를 지키기 위해 그 자식을 쫓아버린 거야."

"후백에 붙으면 안 돼?"

"이 무식한 새끼들을 데리고 무슨 얘기를 할까? 야, 그래도 이 나라가 정통 사대부들의 나라인데 어떻게 오랑캐 놈들한테 팔아먹냐? 넌 네 마누라가 다른 놈이랑 붙어먹으면 좋아?"

"아, 안 되지."

"그래. 연나라의 황제도 그것 때문에 화가 많이 났어. 본래라면 죽여도 시원찮을 역도인데 지금 주상이 마음이 약해서 살려뒀단 말이지. 그런데 조정에서 아직도 친백파 잔당들이 겁도 없이 나대니 이참에 그놈과 엮어 그런 반역도당들을 싹 쓸어 없애버리려는 거야. 이런 일을 나 같이 뜻 있는 선비가 아니면 누가 하겠어?"

"덕이 네가 선비냐?"

"불만 있냐?"

"아, 아니."

"한두 계절만 기다려봐. 그 역적 놈 목이 날아가고 친백파도 싹 쓸려나갈 거야. 좌상 대감이 이번에야 말로 그놈 목을 날리려고 칼을 갈고 있거든. 그럼 그 자리에 내가 들어가는 거지."

연나라고 친백파고 그런 것은 모르겠다.

다만 내 머릿속에는 한 가지 사실만이 빙빙 돌았다.

환은 죽는다.

이제 나는 어떻게 해야 하지?

어두운 담벼락에 앉아 날카로운 돌멩이를 쥐었다 놓길 한참 반복했다. 머릿속으로는 벌써 그 돌멩이로 덕이의 뒤통수를 몇 번이나 찍었다.

시간이 얼마나 지났을까, 사람들의 말소리가 드문드문해지더니 주막의 불이 꺼졌다. 술에 취한 덕이 패거리는 주막 문 앞에서 시시껄렁한 이야기를 나누다 뿔뿔이 흩어졌다.

덕이 놈이 어슬렁어슬렁 이쪽으로 걸어왔다.

못 본 체 지나가길 바랐는데, 덕이는 웃는 낯으로 내 앞에 와서 섰다.

"야. 너 왜 여기 있냐?"

"알 거 없다."

나는 얼른 자리를 털고 일어났다. 돌아서려는 나를 덕이가 잡아 당겼다. 어깨에 닿은 손이 불쾌했다.

"울었어? 그놈이 떠난 게 그렇게 슬프디? 그래서 내가 그랬잖아. 그놈이랑 붙어먹지 말라고. 내 말 안 들을 때 알아봤다."

나는 그대로 덕이에게 달려들어 그의 멱을 확 당겼다. 덕이의 몸이 순간 기운다 싶더니, 이내 나를 세게 밀쳤다. 몸이 뒤로 몇 걸음 밀려나갔다.

"미친년이, 진짜."

덕이는 거기서 멈추지 않고 나를 다시 확 밀었다. 순간적인 힘을 이기지 못하고 몸이 뒤로 무너졌다. 넘어지며 긁히고 부딪친 부분보다 속이 더 아팠다.

"어차피 그놈은 죽을죄를 지어서 죽는 거야. 너 나중에 정신 들면 그놈이랑 떨어지게 해준 나한테 고마워할 거다. 알지도 못하면서."

덕이는 실컷 빈정댄 후 나를 스쳐 지나갔다.

"안 죽어."

나는 일어나 덕이의 뒤통수를 똑바로 노려보았다.

"뭐?"

덕이가 이쪽을 슬금슬금 돌아보았다. 덕이의 만면에는 비웃음이 가득했다.

"나리는 안 죽는다고."

"그놈은 한성에서 죽을 거야, 이 바보야. 네가 뭘 알겠냐? 허튼 생각하지 마. 너 따위가 어떻게 할 수 있는 일이 아니니까."

덕이는 여유롭게 대꾸한 후 다시 제 갈 길을 갔다.

나는 주먹을 꽉 쥐었다.

환이 죽는다고.

"아무것도 모르는 건 너야."

덕이가 사라진 어두운 골목 쪽으로 분에 찬 말을 내뱉었다. 나는 차오르는 눈물을 닦아내고 그 자리를 도망치듯 떠났다.

그날 밤은 한숨도 못 잤다. 아무리 생각해도 결론은 하나였다.

어제 엿들은 이야기를 환에게 알려야 했다. 환을 억울하게 죽도록 내버려둘 수 없었다. 아비는 결국 구하지 못했지만, 환은 아직 살릴 길이 있을지도 몰랐다.

환과 약속했다.

무슨 일이 있거든 서로의 증인이 되어주자고.

나는 그 언약을 지킬 수밖에 없었다.

그가 떠나고 내게 남은 것은 그 허무맹랑한 약조뿐이었으니.

나는 집에 있는 값이 나갈 만한 것들을 긁어모아보았다. 팔 가재도구라 해봤자 얼마 되지 않고, 모아둔 돈도 적었다.

하는 수 없이 환의 집으로 향했다. 다시 그 집에 가는 것이 두려웠지만 가야했다. 대문은 열려 있었다. 환은 서랍장 속에서 돈을 꺼내주곤 했다. 서랍장을 열어보니 많지는 않지만 노잣돈은 될 만한 은전이 들어 있었다. 허락 없이 가져가는 것은 미안했지만 그를 위한 일이라 생각하고 돈을 챙겼다.

아침이 밝자마자 나는 시장에 가서 가재도구를 팔아 치웠다. 육지로 나가는 다음 배는 닷새 후에 있다고 했다. 뱃삯은 생각보다 비쌌다. 치르고 나면 노잣돈이 부족할 것 같았다. 내가 조금 깎아줄수 없냐 묻자 선박 주인은 내 차림새를 훑어보더니 혀를 찼다.

"돈이 없으면 머리칼이라도 주든가. 그럼 뱃삯은 좀 덜어주지."

"가위 주십시오"

나는 망설임 없이 머리채를 잘랐다. 허리까지 오던 머리칼이 단박에 짧아졌다. 선박주인은 머리칼을 챙기고 뱃삯을 깎아주었다.

짧아진 머리가 어색했다.

배가 떠나는 날, 나는 아비의 옷을 입었다. 키가 나와 엇비슷했던 탓에 옷은 잘 맞았다. 짧은 머리가 이상하게 보이긴 했지만 이 것도 모자를 쓰면 별 티가 나지 않을 것이다. 어쨌거나 남복을 해야 여행을 하는 중에 불편함이 없다 들었다. 짐은 며칠에 걸쳐 싸두었다. 환의 결백을 밝히려면 무엇이 필요할지 몰라 이것저것 생각나는 대로 다 집어넣었다.

부둣가로 가자 일꾼들이 바쁘게 짐을 싣고 있었다. 다행히 나를 알아보는 사람은 없었다. 심호흡을 한 후 마음의 바닥에 남은 약간의 망설임마저 털어버렸다.

스물한 해만에 나는 이 섬을 떠난다.

단 한 번도 생각해보지 못한 일이다.

나는 한성으로 갈 것이다.

그리고 그곳에서 그 사람을 위한 유일한 증인이 될 것이다.

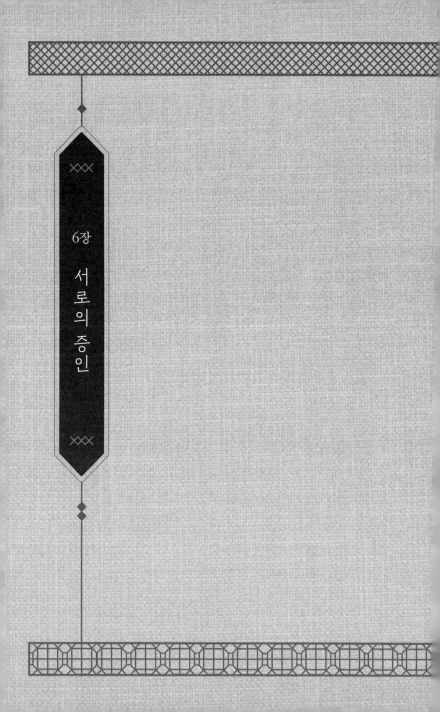

6장
서로의 증인

아무래도 한성의 밤은
가시가 돋아 있나 보다.
이렇게 한밤 속을 그와 뒹굴면
온몸에 가시가 박힌 것처럼 아파온다.

남대문을 지나면 별세계가 펼쳐진다.

때마침 추수가 지난 후라, 각지에서 올라온 산물을 실은 수레가 끊임없이 성문을 드나들었다. 한성으로 오는 길에 신기한 곳들을 많이 지났지만 그 모든 곳을 다 합쳐도 한성만큼 번잡하지는 않을 것 같았다. 덕이 놈이 심심하면 사람은 태어났으면 한성을 가야 한다 떠들더니, 그 말이 영 뜬소리는 아니었다.

나는 수레 위에 앉아 지나는 한성 풍경을 두리번거렸다. 앞에 앉아 있던 마부가 나를 힐끗 돌아보더니 킬킬 웃었다.

"한성은 처음 오나 봐?"

"예."

"친척집이 있다더니."

"오는 건 처음입니다."

"시전에서 내려주면 찾아갈 수 있어?"

"예."

운이 좋아 기호 지방에서 한성으로 올라오는 상인과 인연이 닿았다. 나는 짐을 옮기는 것을 돕는 조건으로 그의 수레에 동승할 수 있었다. 처음에는 내가 비리비리해 보인다는 이유로 꺼려했지만, 쌀가마니를 혼자 거뜬히 옮기는 것을 보고 허락해주었다. 사대문 안에는 함부로 들어갈 수 없다기에 걱정했는데 천운이었다.

덕분에 여정의 끝자락은 좀 편안했다. 그 전까지의 여행길은 말도 못 한다. 노숙은 물론이고 도적을 만나 도망친 적도 있었다. 남복을 해서인지 입만 다물고 있으면 어린 사내이려니 하고 넘어갔지만, 어쩌다 여자인 걸 들키면 이상한 시선을 받기 일쑤였다.

하지만 그런 것에 하나하나 마음 쓸 여유는 없었다. 아마 환은 나보다 훨씬 일찍 한성에 도착했을 것이다.

시전에서 상인이 짐을 내리는 것까지 도와준 후 그와 작별했다.

오는 길에 기회가 있을 때마다 사람들에게 환에 대해 물었다. 환이라고 말하면 모르고 이안군이라 말하면 아는 체 하는 자들이 있었다. 그나마도 다들 폐위된 왕에 대해 말하는 것을 꺼려했고, 하더라도 좋은 소리는 나오지 않았다. 육지 사람들이라 소식이 빠를 줄 알았더니 촌부들은 여기서도 촌부였다. 다들 환이 한성으로 압송되었다는 사실조차 몰랐다. 그래도 개중 어떤 노인이 한성에 가면 의금부라는 곳에 죄인들을 가둬둔다고 귀띔을 해준 것이 도움이 되었다. 의금부는 상놈들은 가는 일이 없고 높은 나리들이 죄를 지으면 가는 감옥이란다.

문제는 내가 의금부의 위치를 모른다는 거였다. 나는 길을 가던 사람 하나를 잡고 의금부가 어디냐 물었다.

이 길을 쭉 따라가서 큰 종이 나오면 그 맞은편 쪽에 있다고 했다. 다행히 조금 가다보니 큰 종이 걸린 누각이 보였다. 그리고 그 맞은편으로 견고한 기와를 얹은 건물 몇 채가 서 있었다.

나는 건물로 다가가 현판을 읽었다. '의'랑 '부'는 맞는데 '금'은 좀 자신이 없었다. 그래도 글자 공부를 해놓길 잘했다. 솔직히 환이 가르쳐줄 때는 쓸 일이 있겠나 싶었는데, 여행 도중에 정말 많은 도움이 되었다. 그리고 살기 위해 읽어대다 보니 아는 글자도 많이 늘었다. 환이 안다면 조금은 기특하게 여길 정도라 자부했다.

의금부의 경비병이 나를 이상한 듯 노려보았다.

이럴 때일수록 당당하고 뻔뻔하게 굴어야 한다는 것을 긴 여행을 통해 배웠다. 나는 옷을 바로 잡고 의금부로 들어가려 했다. 경비병이 긴 창으로 나를 가로막았다.

"이안군을 만나러 왔습니다."

"뭐?"

"이안군을 만나러 왔다고요."

"네가 그걸 어떻게 알고?"

경비병이 수상한 눈초리로 나를 노려보았다. 됐다. 환이 여기 있는 것은 맞다. 그럼 무슨 수를 써서든 들어가 그를 만나야 했다.

"알 만한 사람이니 아는 거지요. 들어가게 해주십시오."

"안 된다. 아무도 이안군을 만나게 하지 말라는 어명이다."

"정말 잠시면 됩니다."

"안 된다니까."

경비병은 좀처럼 물러날 기세가 아니었다. 하기야 어명이라는데 일개 군졸이 어찌할 수 있겠는가. 예상치 못한 바는 아니었지만 이대로 돌파할 수도, 돌아갈 수도 없었다. 나는 혹여나 들어갈 만한 구멍이 없을까 해서 의금부의 높은 담벼락을 빙 둘렀다. 개구멍은커녕 쥐구멍도 안 보였다.

결국 나는 다시 경비병에게 청을 하는 수밖에 없었다.

"이안군과 잠깐만 이야기를 하면 됩니다."

"안 된다니까? 잡혀 들어가고 싶어?"

"잡혀 들어가면 이안군과 만날 수 있습니까?"

"이거 완전 미친 거 아냐?"

이쪽은 점잖게 말했는데 험한 말이 돌아오니 기분이 퍽 상했다. 그래, 이렇게 된 거 오기로 졸라보자. 오늘은 일단 오기로 버텨보고 내일은 뇌물이 될 만한 걸 구해오든가 해야겠다.

나는 그렇게 마음먹고 의금부의 문 앞을 알짱거리며 시시각각 이안군을 만나게 해달라 부탁했다. 오가는 관리들이 있을 때는 입을 다무는 것도 잊지 않았다.

어느덧 해질녘이 되었다.

"이제 높은 나리들 다 퇴청하시지 않았습니까? 저 하나 살짝 들어간다고 나쁠 건 없을 겁니다."

"아, 끈질기네."

"이안군 좀 만나게 해주십시오."

"누구를 만나?"

뒤에서 낯선 사내의 목소리가 들렸다. 돌아보니 검은 도포를 입은 남자가 나를 이상한 눈으로 보고 있었다. 옷의 때깔을 보아하니 신분이 높은 사람 같았다. 아차 싶었다. 뒤의 기척을 좀 더 신경 쓸 것을.

"네가 이안군을 어찌 알고?"

"그러는 나리께서는 아십니까?"

노골적으로 무시하는 말투에 발끈했다.

"허……."

남자는 기가 찬 듯 고개를 젓더니 나를 지나쳐 경비병의 코앞에 섰다.

"내가 누군지는 알겠지?"

"아, 안유군 나리 아니십니까?"

"그래. 오늘은 내가 형님을 좀 만나고 가야겠다."

"그게, 이안군은 지금 역모의 죄로 잡혀 있어 아무도 만나지 못하게 하라는 명이 있었습니다."

"이것 보게. 아우가 형을 좀 만나겠다는데 이렇게까지 사정을 해야 하겠나? 군신의 의만큼 형제간의 의도 무거운 것이네. 내가 전하의 신하인데 어찌 다른 마음을 품겠나? 그저 혈육이라 마지막으로 한번 얼굴이나 보자 하는 것이니 잠시만 눈 감아 주게."

안유군이라 불린 그 남자는 허리춤에서 두툼한 은전 한 묶음을 꺼냈다. 보는 내가 놀랄 정도의 액수였다. 경비병은 괜히 헛기침을 하고 돈을 받은 뒤 고개를 끄덕끄덕했다. 한성의 관리들은 저 정도 뇌물은 처먹어야 말을 들어주나 보다. 나는 어쩌면 좋나 눈앞이 깜깜해졌다. 저 안유군인가 뭔가의 바짓가랑이라도 붙잡고 늘어져야 하나 고민하던 차에 그가 나를 돌아보았다.

"들어와라."

"아, 나리."

경비병이 곤란하다는 듯 눈을 찡긋했다.

"행색을 보게. 딱 보아도 별것 아닌 인사인데 뭐가 문제인가?"

그리 말하고 안유군은 은전을 몇 닢 더 얹어주었다. 그러자 경비병은 한숨을 쉬고 나까지 안으로 들여보내주었다. 안유군은 성큼성큼 나를 앞서 걸어갔다.

"너를 데리고 들어와야 저자가 나를 밀고하지 못할 것 같아 그리한 것이다. 의금부에 아무 상관없는 이를 들여보낸 것은 중죄이니."

안유군이 묻지도 않은 것을 굳이 설명해주었다.

"이안군이 어디 계신지 아십니까?"

"처음 오는 것이 아니거든. 예전 반정이 났을 때도 온 적이 있었다. 아마 같은 곳에 있을 거다. 그나저나 너는 누구인데 이안군을 보겠다 한 것이냐?"

"삼월이라고 합니다."

"이름을 물은 게 아니다. 정체가 무엇이냐는 말이야. 계집애가 남복을 하고 대뜸 역모의 죄를 쓴 폐주를 보겠다니. 겁이 없어도 너무 없구나."

"전 그분만 뵈면 되니까요. 뵙고 꼭 드려야 할 말이 있습니다."

"말투를 들어보니 한성의 아이는 아닌 것 같고."

환이야 나보다 나이가 많으니 애 취급을 했다고 해도, 이 남자는 나랑 비슷한 또래로 보이는데 어린애 취급이다.

"내가 본 적이 없는 사람이니 좌상의 수하도 아니고. 대감 중에 이런 아이를 부리는 자가 있었나?"

"전 한성에 아는 사람도 없습니다."

"그럼 대체 무슨 인연으로 온 것이냐?"

"들어오게 해주신 것은 감사하지만 하나하나 고할 수는 없습니다. 전 나리를 지금 처음 뵀는데 어떻게 믿고 말씀을 드립니까?"

"네가 남들이 모르는 뭘 알긴 아는 모양이구나. 어쨌거나 남들이 의심하면 곤란하니 여기서부턴 내 몸종으로 온 척하고."

"예, 나리."

환이 있는 곳까지는 또 한 번의 문을 지나쳐야 했다. 안유군은 이번에도 은전을 한 꾸러미 건넸다. 이번에는 나를 몸종이라 했기에 별말 없이 통과되었다.

컴컴한 건물 안으로 들어가니 여기저기서 흐린 신음소리가 들려왔다. 안유군은 횃대에 불을 붙이고 가장 안쪽까지 들어갔다. 나는 안유군의 뒤를 바짝 따라 걸었다. 차마 주변을 살펴볼 용기는 나지 않았다.

한 걸음 한 걸음 내디딜수록 심장이 거칠게 뛰었다. 먼지 때문인지 현기증이 났다. 앞서 걷던 안유군이 발걸음을 멈췄다.

그곳에 환이 있었다.

환은 횃불이 눈부신지 살짝 인상을 찌푸렸다. 내가 기억하던 것보다 야위었지만 분명 환이었다. 몇 개월 만에 보는 모습에 눈물이 핑 돌았다.

"형님."

"안유군인가?"

"예, 접니다."

"군이 이런 곳까지……."

환이 말을 뚝 멈췄다. 그의 시선은 내게 꽂혀 있었다. 곧 그는 허탈하게 웃었다.

"아, 또 헛것을 보나. 미안하다. 요즘 종종 허깨비를 보거든. 저런 모습으로 나타난 건 처음이긴 한데……."

"허깨비가 아닌데요, 나리."

"환청도 있군."

"환청이나 환시가 아닙니다, 형님."

안유군이 나를 옥사 앞으로 떠밀었다.

"의금부 앞에서 이 아이가 형님을 뵙겠다고 생떼를 쓰고 있길래 한번 데려와봤습니다. 아는 아이입니까?"

"어, 인화야, 너 정말 여기……."

환은 힘겹게 벽을 짚고 일어나 가까이 다가왔다. 한 걸음 한 걸음 다가올수록 흐린 불빛 속 그의 모습이 꿈결처럼 번진다.

그는 두터운 나무 창살 틈으로 손을 뻗어 내 뺨을 더듬었다.

"꿈인가."

내가 그리워하던 환의 손이었다. 이전보다 손끝이 까끌까끌해졌다. 그동안 그가 겪었을 고초를 짐작하니 마음이 아려왔다. 나는 울음을 삼키고 애써 침착하게 입을 열었다.

"나리께 말씀드릴 게 있어서 왔습니다."

"왔다고? 어떻게? 그 섬에서?"

"예. 꼭 드릴 말씀이 있어서요. 이렇게라도 다시 봬서……."

차마 기쁘다고 하기에는 우리의 처지가 너무 처참했다. 나는 말을 끊고 울지 않기 위해 숨을 골랐다.

"인화야."

환의 눈동자가 흔들렸다. 그 역시 울음을 참으려는 것 같았다.

"널 다시는 못 볼 줄 알았는데."

나 역시 그런 생각을 하곤 했다. 그래서 여행길 내내 하룻밤도 편히 잠들지 못했다. 내가 한성에 도착했을 때 그가 이미 이 세상 사람이 아닐까 봐.

"떠나실 때는 한두 계절이면 오신다더니, 그것은 영 거짓이었나 봅니다?"

"아, 그건……."

환은 난처한 미소를 지었다. 그의 미소를 보자 기어코 눈가가 젖어들었다. 나는 얼른 눈을 비볐다.

"시간이 많지 않아."

옆에서 안유군이 속삭였다. 슬쩍 돌아보니 그는 퍽 이상한 눈초리로 우리를 관찰하고 있었다.

"아무튼 늦지 않아서 다행입니다. 혹 늦을까 봐 가슴 졸였습니다."

"오는 길이 힘들었을 텐데."

"뭐, 그냥 여행한다 생각하고 왔지요. 아, 노잣돈이 부족해서 나리 돈을 썼습니다. 그건 차차 갚겠습니다."

"아니, 그건 안 갚아도 되는데……."

환이 나를 더 가까이 끌었다. 두터운 창살을 가운데 두고 우리는 최대한 가까이 붙어섰다. 이렇게 가까이 있는데 안을 수 없다는 게 갑갑했다.

"인화야. 나와 더 엮이지 말라 했잖니."

"나리께서 억울하게 잡혀가셨는데 제가 어떻게 안 옵니까? 그리고 나리께 꼭 드려야 할 말씀이 있는데, 저분은 믿을 만합니까?"

내가 의심어린 눈길로 안유군을 바라보자, 안유군은 기가 막힌 듯 코웃음을 쳤다.

"대체 이 건방진 애는 뭡니까, 형님?"

"안유군, 말 함부로 하지 마라. 네가 그렇게 대해도 되는 사람이 아니야."

"예?"

"아, 저야 뭐 소처럼 대하든 개처럼 대하든 상관없습니다. 아무튼 믿을 만한 분입니까?"

"그래. 걱정 말고 얘기해봐라."

환이 고민하는 기색 없이 말했다. 나는 목소리를 낮춰 덕이의 대화를 엿들은 일을 전했다. 안유군은 옆에서 팔짱을 끼고 내 이야기를 듣고 있었다.

"그 이야기를 전해주러 여기까지 왔니?"

환의 반응은 영 신통치 않았다.

"굳이, 그런 것 때문에 여기까지……."

"그럼 그대로 두면 나리께서 억울하게 죽는다는데 가만히 있습니까?"

"하지만 그 말을 쉽게 믿어주지도 않을 테고 자칫하다간 인화 너까지 곤란해질 거다."

"그래도 뭐든 해봐야지 않겠습니까?"

"아니, 어쩔 수 없는 일이야."

환이 고개를 저었다.

"여기까지 와줬는데 이런 말해서 미안하구나."

그때 밖에서 탁탁 벽을 치는 소리가 들렸다.

"형님, 슬슬 가봐야 할 시간입니다. 근시일 내에 또 오겠습니다. 불편함은 없으십니까?"

"괜찮아. 매일 한두 명씩 찾아오는 사람도 있고. 그래도 내가 한성에서 영 엉망으로 살진 않았나 싶더구나."

"엉망이라니요……."

안유군은 갑자기 목소리를 확 낮췄다.

"형님 같은 분이 또 어디 있다고 그런 말씀을 하십니까?"

"당치도 않은 소리를."

"저희가 꼭 빼내드리겠습니다."

"괜한 짓 말고."

그러더니 환은 마지막으로 내 손을 꽉 잡았다.

"그리고 이 아이는 네가 좀 데려가서 돌봐줘라. 불편한 것 없이. 나처럼 대해."

"예? 형님처럼요?"

안유군은 아주 불만이 많은 얼굴이었지만 더 대들지는 않았다.

"인화야, 몸조심해라."

"예, 나리도요."

손이 천천히 떨어졌다. 온기가 멀어지는 게 아쉬워 돌아오는 길 한참이나 손을 쥐었다 폈다.

"너 뭐냐?"

의금부를 나오자마자 안유군이 물었다.

"아까 너 이름이 삼월이라더니 형님은 널 왜 다른 이름으로 부르지?"

"글쎄요, 나리께선 삼월이 같은 것은 이름이 아니라 하십니다. 그나저나 어디로 가는 겁니까?"

"내 사가로 간다. 형님께서 널 데려가라 하셨으니 부탁은 들어드려야지."

"흠, 나리께선 만날 동생들과 사이가 나빴던 것처럼만 말씀하셨는데."

"그러셨다고? 나 참, 서운하네."

"그래서 궁 생활이 아주 피곤했다고 하셨습니다."

말을 하다 보니 본의 아니게 고자질을 해버린 게 되었다. 그런데 안유군은 내 말에 웃음을 터트렸다.

"아, 그래. 그럼 나는 그 피곤한 동생에 해당되지는 않을 게다. 나는 궁이 아니라 사가에서 자랐고 애초에 권좌와는 먼 사람이니 말이다."

"왕자인데 사가에서 자라기도 합니까?"

신기한 일이었다. 왕자 같은 사람과 말을 섞을 거라곤 상상해본 적도 없었다. 환을 만나지 않았더라면 이렇게 편히 높은 사람과 이야기를 나누지 못했을 거다.

"왜 안 되겠니? 선왕께서 이 여자 저 여자 만났으니, 한 번쯤은 그런 여자도 만나는 게지."

그때 거리에 한 무리의 여자들이 묶여서 끌려가는 것이 보였다. 안유군은 깊게 한숨을 내쉬었다.

"저 사람들은 뭡니까, 나리?"

"공녀라는 거다."

"공녀가 뭡니까?"

"다른 나라에 선물로 보내는 여자들이라는 거지. 지금 끌려가는 여자들은 모두 후백으로 가는 것이다."

"왜 보내야 합니까? 저 여자들은 어떻게 되는데요?"

"우리가 연의 편을 들어 후백에게 밉보였으니 그렇지. 그리고 저 여자들은 가서 심한 일을 겪겠지……."

"심한 일이 무엇입니까?"

안유군은 시전 뒤편 길로 빠져나갔다. 그는 한참 답을 망설이다 다시 한숨을 푹푹 쉬었다.

"됐다. 들어서 좋을 것 없어. 나도 이야기하고 싶지 않구나."

이렇게까지 말을 피하는 걸 보니 어지간히 무서운 일을 당하나 보다 싶었다. 사정을 듣고 나니 나도 마음이 좋지 않았다.

조금 가자 한적한 저택가가 나왔다. 하나 같이 으리으리한 것을 보니 대감들이 사는 곳인 모양이었다.

"그런데 말이다, 너 아까 형님께 드린 이야기 전부 사실이냐?"

"당연하지요. 제가 미쳤다고 한성까지 와서 거짓말을 하겠습니까?"

"그럼 그걸 남들 앞에서 증언할 수 있겠니?"

안유군이 물었다.

"예. 그걸 하러 올라온 겁니다."

내 대답에 그가 걸음을 멈췄다. 안유군은 천천히 나를 돌아보았다.

"좋다. 나머지는 가서 논의를 하자. 우선은 가서 씻고 옷도 갈아 입거라. 아주 못 봐줄 몰골이구나."

안유군의 사저에 도착하자 일꾼들이 나와 맞았다. 워낙 대단한 기와집들을 지나쳐와서인지 왕자의 집이라기엔 좀 소박하게 느껴졌다. 그래도 내가 들어가 본 집 중에서는 가장 크고 고급스러워서 발을 딛기도 부담스러웠다. 곧 여자 일꾼들이 나를 별채로 안내했다. 씻고 나오니 깨끗한 옷이 준비되어 있었다. 여기 남자 일꾼들이 입는 듯한 짙은 색의 천 옷이었다. 오는 길에 안유군이 옷을 주어야 하냐고 묻길래 그냥 댁 종놈들 입는 옷이면 된다고 했더니 정말 이런 걸 줬다.

분홍 옷을 입은 여자가 등불을 들고 나를 사랑채로 안내했다. 문에 발린 창호지에 사람의 그림자 하나가 흔들렸다. 안유군이 먼저 나를 기다리고 있는 모양이었다. 여자가 문을 열어주기에 조심스럽게 안으로 들어갔다.

안유군은 상석에 앉아 있고 앞에는 주안상이 차려져 있었다.

"왜 이리 늦어?"

눈이 마주치자마자 시비다.

"빨리 오란 말씀은 안 하셨잖습니까?"

"너 참 말은 잘한다."

안유군은 혀를 쯧쯧 찼다.

"그래, 그 정도 배짱은 있어야 국문에서도 기죽지 않고 증언을 하지."

안유군은 내 잔을 채워주었다.

"국문은 나흘 뒤다. 솔직히 네 증언으로 뒤집을 수 있을 거라 생각은 안 한다만 들어갈 수 있게 내가 도움은 주마. 말마따나 할 수 있는 것은 해봐야지."

"제 말로는 뒤집기 힘들 것 같습니까?"

"당연하지. 사람 하나 매수해서 거짓 증언하게 하는 건 일도 아니거든. 그래서 말만 떠들어서는 아무도 믿어주지 않아. 오히려 이쪽이 도로 물리기도 하고 특히 지금 좌상이 걸린 문제 아니냐."

"좌상이라는 분이 그렇게 대단합니까?"

"친연파의 수장이지. 너 지금 내 말 이해가니?"

"예. 이해합니다. 반정 후로 친연파가 친백파 대부분을 몰아냈다지요."

내 말에 안유군은 의외라는 듯 고개를 갸웃했다.

"그런 건 어떻게 아느냐?"

"한성까지 오는 길에 주워들은 거지요. 어딜 가든 술꾼들만큼 나라 이야기 좋아하는 사람들이 없습니다."

덕택에 나도 한성의 사정을 어느 정도 이해하게 되었다. 대국에는 연나라와 후백이라는 두 나라가 있다. 수십 년 전 세워진 후백은 빠른 속도로 힘을 키웠다. 위협을 느낀 연나라의 황제는 조정에 도움을 요청했고, 그에 맞서 후백도 우리에게 형제를 맺자했다. 까닭에 조정에서는 친연파와 친백파로 갈려 싸움이 벌어진 것이다.

"문제는 연나라가 망하기 직전이라는 거다. 그리고 강성해진 후백은 지금 우리를 압박하고 있지. 조정 내 친연파를 제거하라고 말이다. 그러니 친연파가 위협을 느끼지 않겠니? 몇 년 안에 연나라는 지도에서 사라질 테고……."

"왜 망해가는 나라를 고집하는 겁니까?"

"자신들의 이권 때문이지. 그것 때문에 반정까지 일으켰던 거고. 아무튼 위협을 느낀 친연파는 형님을 걸고넘어져 친백파를 먼저 칠 계획을 세운 거야."

나는 육포를 우물거리며 안유군의 이야기를 들었다.

"그리고 좌상은 이전부터 형님을 죽이고 싶어 했고."

"왤까요?"

"좌상은 형식적으로라도 형님의 인척이었지 않느냐. 이전의 중전은 좌상의 조카였으니까. 그 일이 자신의 정치적 약점이 될지도 모르니, 형님을 죽여 후환을 없애버리고 싶은 거겠지."

예전에도 환의 과거 이야기를 들었을 때 기분이 미묘했던 기억이 난다. 지금 생각하니 그것은 미묘한 게 아니라, 기분이 나쁜 거였다. 우리가 서로 모르던 시절의 이야기인데도 질투가 난다. 섬에 있던 시절에는 늘 환이 나를 끔찍이 아껴주어서 그의 과거 같은 것은 떠오르지도 않았는데.

어차피 옛일은 어쩔 수 없으니 이제부터는 줄곧 환이 나만 곁에 두었으면 좋겠다. 지난 일 같은 것은 생각도 나지 않게 앞으로도 지독하게 사랑해주었으면 좋겠다.

그러려면 우선은 환을 살려야 했다.

"원래 조정이란 그렇게 가차 없는 곳이다. 옛정이 있어도 버리는 판국에 정치적 도구로 여기던 자는 더 볼 것도 없지."

안유군은 내 표정을 오해했는지, 딴 소리를 했다.

"그런데 지금 나라님은 왜 이안군 나리를 못 죽인답니까?"

"그런 소리는 어디서 들었냐?"

"나리께서 이전에 몇 번이나 그 말씀을 하셨는데 참말인지 허풍인지는 모르겠습니다."

"틀린 말은 아니지. 집안 사정이란 게 좀 있다. 그러니 반정이 났을 때도 좌상이 형님을 죽이려 하는 걸 주상은 반대했지. 그래도 역모는 넘어가기 힘들 거다."

무슨 놈의 집안 사정이 사람 하나를 죽이니 살리니 하는지 궁금했지만 안유군은 더 이야기하고 싶지 않은 듯했다.

"그런데 너는 형님과 어떤 사이냐? 거기서 여기까지 온다는 것도 보통 일은 아니고, 말씀하시는 걸 보니 널 제법 아끼시는 듯한데."

"나리께서 유배 오셨을 때 이것저것 도와드렸지요. 술을 사다 드리거나, 불 피우는 걸 도와드리거나."

"아, 그래?"

"벌레도 잡아드리고."

"난 또 뭐 대단한 사이라고."

"나리께선 저한테 글자도 가르쳐주셨고요. 뭐, 또 재밌는 이야기들도 해주시고."

"됐다, 됐어. 그만하면 됐다."

안유군은 손을 내젓더니 술잔을 입가에 댔다.

"그리고 나리와 접문이란 것도 처음 해봤고요."

접문이라는 말이 나오기 무섭게 안유군이 콜록대며 술이 튀었다. 왕자들도 사레가 들리면 별 수 없나 보다.

"천천히 드시지 그러십니까?"

"네가 갑자기 이상한 소리를 하니 그렇지. 무슨 그런 거짓말을 하니?"

괜히 내 탓이다. 게다가 밑도 끝도 없이 거짓말이란다.

"거짓이 아닌데요."

"얼굴색 하나 안 바뀌고 거짓을 말하는 게 국문장에 가서도 잘할 것 같구나."

"대체 왜 안 믿으시는 겁니까?"

안유군은 내 얼굴을 빤히 보더니 고개를 절레절레 저었다. 사람 기분 나쁘게 하는 방식도 참 여러 가지다.

"말도 안 되지. 예쁜 구석이 없잖아."

"제가 뭐 하러 이런 말을 꾸미겠습니까?"

안유군은 내 말을 들은 체 만 체 했다.

"한 이렇게 백 년쯤 바라보면 예쁜 구석이 보일 거 같기도 하고."

그는 픽 웃더니 반신반의하는 투로 덧붙였다.

"거짓말을 하려면 좀 그럴 듯하게 해야지. 내가 들은 게 있는데."

"예?"

"아, 넌 궁 안의 소문은 모르겠구나. 모르면 그럴 수 있지."

소문이라는 단어에 귀가 쫑긋했다.

"궁 안에 무슨 소문이 있었습니까?"

"형제간의 의가 있지, 그런 소문을 내가 퍼트릴 수는 없지."

안유군은 그렇게 말하면서도 말하고 싶어 어쩔 줄 모르는 표정이었다.

"그냥 말씀하십시오."

"내가 말했다고 하면 안 된다."

"제가 입은 무겁습니다."

"이건 그냥 뜬소문이 아니라, 확실한 건데……. 궁 밖으론 절대 나지 않은 이야긴데……."

어지간히 뜸을 들인다. 어디 길거리에서 전기수라도 하면 돈 꽤나 벌 양반이다.

"비와 교류가 전혀 없었어. 동궁 시절부터."

"그래도 됩니까?"

"원래는 큰일 날 일이지. 그런데 꼭 택일을 하면 그날 아프다는데 어떡하나? 근데 아픈 것도 한두 번이지. 그게 계속 반복되면 다들 이상하다 생각하지."

"왜 그러셨답니까?"

"글쎄다. 형님은 원래 사람을 사람으로 보지 않으려는 경향이
있었어. 워낙 어릴 때부터 정쟁에 시달려서 그런 건지. 상대를 정
치적 잣대로 재는 게 당연한 사람이었으니."

안유군이 아는 환은 내가 아는 환과 너무 다른 사람 같아서 잘
납득이 가지 않았다.

"아마 좌상이 밀어 넣은 여자와는 엮이기 싫었던 거겠지. 좌상
일당은 정치적으로 항시 형님과 대립했으니까. 아이라도 생기면
그쪽 일당들이 입맛대로 후계를 키워 좌지우지할 게 뻔하잖아.
어쨌거나 십 년 가까이 딱히 자식도 없지, 중궁전에 발길 하는 일
도 없지, 그렇다고 누굴 따로 두지도 않아. 그러니까 당연히 소문
이…… 흉흉하게 나지."

"흉흉하게요?"

"그래. 어딘가 문제가 있다는 식으로 말이다. 그래서 나도 그
별난 상황에 대해 나름대로 탐구를 해봤지. 내 생각에, 사내가
계집 기피하는 건 세 가지 가능성밖에 없어. 첫째는 남색가. 둘
째는 기이한 성벽이라 일반적인 관계를 원하지 않는 경우. 셋째
는……."

안유군은 잠시 술로 목을 축였다.

"그래, 이제 뭐 주상도 아니니 이런 말해도 되겠지. 셋째는 안

되는 경우."

"뭐가 안 되는데요?"

"신체적인 문제로 할 수 없는 경우를 말하는 거다."

적어도 내가 확인한 바로 환은 셋 다 아니었다.

"하지만 이안군께선 셋 다 아닌데요."

"그걸 네가 어떻게 알아?"

"왜 모르겠습니까?"

내 말에 안유군은 잠시 경악한 눈빛으로 나를 보더니, 들으라는 듯 한숨을 크게 내쉬었다.

"네 번째 가능성도 있었구나. 기이한 취향."

왕족이 아니라 상민이었으면 벌써 주먹이 날아갔을 텐데. 분했다.

이상한 일이다. 아까까지만 해도 기분이 퍽 나빴는데 지금은 오히려 가뿐해졌다. 환이 정확히 어떤 세월을 보내왔는지는 모르겠지만, 그래도 내 작은 욕심이 충족된 것 같았다.

"아무튼 전 나리를 꼭 도와드려야 합니다. 가서 어떻게 말하면 될까요?"

"쉽지 않을 거다. 말이 문제가 아니야. 아무리 잘 말해봤자 문제는 이쪽에는 증좌가 아무 것도 없다는 거야. 저쪽은 조작된 것일지라도 일단 편지가 있고. 그 덕이인지 뭔지 하는 놈을 잡아오기엔 수개월이 걸릴 거고, 중간에 좌상이 손을 써버릴 가능성이 높아."

"그 편지에 대해서 조금만 더 이야기해주십시오."

"역모의 내용이 담긴 편지다. 친백파와 형님이 주고받았다는데, 정작 친백파에서는 누가 썼는지 찾아내지 못했어. 전부 가명이고."

"가명이요? 어차피 뒤집어씌우려면 아주 이름도 박아 넣지 그랬답니까?"

"아니지. 가명이어야 의심 가는 자들은 모조리 잡을 수 있지. 좌상이 완전히 칼을 갈고 있으니."

안유군은 머리가 아픈지 옆 이마를 짚었다.

"그리고 형님의 필체는 확인된 상황이다."

"필체가 확인됐단 말씀입니까?"

"그래. 솔직히 내가 보기에도 필체는 같더구나. 필체만으로 단정할 수는 없다고 주장해볼 수는 있겠다만, 그게 통할지는……."

"제가 그 편지를 볼 수 있겠습니까? 나리의 필체는 제가 구분할 수 있습니다. 분명 남들은 못 보는 다른 점이 있을 겁니다."

"그게, 중요한 증좌라 빼오거나 네가 직접 보기는 힘들 거다. 정 궁금하면 사람을 시켜 내용은 확실하게 알아올 수 있다만……."

"아……."

"거기다 네가 다르다 주장해도, 남들이 그 말을 믿어야 의미가 있는 것이고. 사람은 원래 제 눈에 보이는 것들만 인정하니 말이다."

우리는 국문장에서 분위기를 뒤집을 방법에 대해 한참이나 이야기를 나눴지만 답은 나오지 않았다. 결국 깊은 밤, 안유군과 나는 다음 날 아침 다시 이야기를 하기로 하고 헤어졌다.

이른 아침 안유군을 찾아갔다. 보아하니 그도 나처럼 한숨도 잠들지 못한 모양이었다. 그는 책상 앞에 앉아 이런저런 종이를 뒤적이고 있었다.

"나리, 제가 생각을 해봤는데요."

"그런데?"

"방법이 있긴 있을 것 같습니다."

내 말에 안유군이 고개를 들었다.

"방법?"

"절 도와주실 수 있겠습니까?"

"말해봐라."

나는 마른침을 삼키고 밤새 생각한 이야기를 꺼냈다.

국문을 준비하기에 나흘은 짧은 시간이었다. 국문 전날 저녁, 나는 안유군과 함께 다시 환을 만나러 갔다. 환은 저번보다 더 지친 기색이었다.

환은 안유군과 나눠야 할 이야기가 있다며 나보고 잠시 자리를 비켜달라 했다. 환과 안유군은 한참 무슨 말을 나누었다. 이야기를 하는 중간중간 안유군이 자꾸 나를 돌아보는 게 내 이야기를 하나 싶었다. 듣지 않아도 알 것 같았다. 분명 나에 대한 당부를 하는 거겠지. 환이 너무 미안해하지 않게 안심시켜줘야겠다는 생각이 들었다.

이야기를 마치고 안유군이 내 쪽으로 돌아왔다. 그는 몹시 할 말이 많은 얼굴로 나를 바라보았다.

"뭡니까? 하실 말씀 있으면 하세요."

"하고 싶은데, 내일 국문장을 생각하면 못 하겠구나."

저런 말은 나를 배려하는 게 아니라 오히려 속을 긁는 거다.

"그냥 하십시오."

"그럼 할까?"

안유군은 짐짓 한숨을 푹 쉬더니 내 얼굴을 이리저리 뜯어보았다.

"대체 어디 예쁜 구석이 숨어 있길래 형님은 너한테 죽고 못

사시는 건지 모르겠네. 젊은 양반이 벌써 정신이 오락가락하나?
안됐어, 참.”

“한 소절만 하십시오, 나리.”

“성격도 이리 모난데.”

안유군은 들으라는 듯 혀를 쯧쯧 찼다.

“아무튼 가봐라. 너와 이야기를 하고 싶으시단다.”

나는 안유군을 한 번 노려봐준 후 환에게로 갔다.

“인화야.”

그가 두터운 나무 살 사이로 손을 내밀었다. 나는 그의 손을 꽉
잡았다.

“정말 혹시나 해서 당부하는 건데 나를 위해 무언가를 할 생각
은 마라.”

“알겠습니다.”

“약속하는 거지?”

“예.”

나는 거짓으로 약속했다. 그제야 환의 얼굴이 좀 풀렸다.

“네게 너무 미안하구나. 괜히 나 때문에 이런 고생을 하고.”

“미안해하실 것 없습니다, 나리. 여기까지 오는 길에 재밌는 일
도 많았고 신기한 것도 많이 봤습니다. 전부 나리께 말씀드릴 시
간이 있으면 좋을 텐데…….”

“어디 다치거나 하진 않았고? 누가 네게 험하게 굴지는 않았어?”

"다친 곳은 없습니다. 험하게 구는 사람들이야 어딜 가나 있지요. 그래도 젊어서 고생은 사서도 한다지 않습니까?"

내가 생각해도 참 입에 발린 개소리였다. 고생을 살 돈이 있으면 밥이나 사 먹겠다. 그래도 지금은 환의 마음을 편하게 해주고 싶었다.

"너한테는 끝까지 신세만 지는구나."

"신세라니요. 제가 뵙고 싶어서 온 건데요."

"안유군에게 널 부탁해놓았다. 필요한 게 있다면 안유군에게 뭐든지 부탁하렴. 내 목숨 같은 아이라고 해뒀으니 아마 네게 박하게 굴지는 못할 거다."

"그런 것치고는 너무 막 대하는데요. 제게 예쁜 구석이 전혀 없답니다. 사실이긴 하지만 너무하지 않습니까?"

내가 괜히 볼멘소리를 내자 환은 미간을 좁혔다. 웃으라고 한 소리였는데 인상을 쓰니 당황스러웠다.

"무슨 소리야, 이렇게 예쁜데."

그는 다른 손을 뻗어 내 뺨을 쓸었다.

"보고 있으면 눈물이 날 정도로 예쁜데."

우리 사이가 가로막혀 있지만 않았다면, 지금 당장 환을 끌어안았을 것이다. 딱 한 번만, 딱 한 번만 부둥켜안고 입 맞추고 싶었다.

그것이 영영 불가할 것을 알면서도.

"이렇게 예쁘니 분명 널 많이 사랑해줄 사람이 곧 나타날 거다.

너무 내게 마음을 두지 말고 너는 살아야지. 그렇지 않겠니?"

"정말로 그렇게 생각하십니까? 산 사람은 살아야 한다고."

"그럼."

"저도 그렇게 생각합니다."

내 말에 환이 드디어 살짝 미소를 보였다. 아무것도 모르는 그의 미소가 애달팠다.

"아비가 죽었을 때 공허하고 괴로웠지만, 그래도 하늘은 푸르고 파도는 치더군요. 봄은 또 오고 말입니다. 그게 어찌 보면 잔인한 일이지만, 한 사람이 떠난다는 건 그런 일이겠지요."

"아가, 너 왜 이렇게 어른스러워졌니?"

"원래는 아니었습니까?"

"아니, 원래도 넌 나보다 어른스러웠지."

그렇게까지 말하니 도리어 쑥스러웠다. 환은 따스한 눈길로 나를 내려다보았다. 어두컴컴한 감옥 안에서도 그 눈빛을 보면 주변이 환해지는 듯한 착각이 든다. 이제 다시는 저 눈길을 못 볼 거라 생각하니 어떻게든 이 순간 하나하나를 새겨두고 싶었다.

"나리, 이렇게 뵙는 게 마지막이겠지요."

"……그래."

"우리가 다시 만날 때는 저승일 겁니다."

태연하게 말하려 애를 썼다. 동요하는 마음을 들키고 싶지 않았다.

"아마 그렇겠지."

"짧은 시간이었지만……."

울지 않기로 거듭 다짐을 하고 왔는데 눈물이 나려 했다. 나는 얼른 말을 멈추고 심호흡을 했다.

"나리 덕분에 보지 못한 것들을 보고, 느끼지 못한 것들을 느껴 봤습니다."

"인화야, 네가 좋아."

"산."

내 손을 잡은 환의 손에 힘이 들어갔다.

"그 이름, 잊지 마요."

궁궐의 담은 높았다. 장정들 키의 서너 배는 되어 보였다. 나는 담벼락을 올려다보았다. 담장 위 하늘은 너무 청명해서 구름 한 점 없었다.

궐 앞에는 통통하게 살찐 고양이 동상 두 개가 마주 서 있었다. 동글동글한 것이 퍽 귀여웠다. 왕들은 의외로 귀여운 걸 좋아하는가 싶었다.

큰 궐문은 보는 것만으로 사람을 압도했다. 그 앞에 창을 든 수문병들이 표정을 굳히고 있었다. 나 같은 상것들은 감히 드나들 수 없는 곳임을 그 표정으로 보여주기라도 하는 것 같았다. 하지만 지금 내 옆에는 안유군이 있었다. 그들은 별말 없이 나와 안유군을 들여보내주었다.

궐로 들어오자 바쁘게 오가는 궁녀들과 관원들의 모습이 보였다. 저편으로 으리으리하게 큰 건물도 얼핏 보였다.

"저 큰 건물은 뭡니까?"

"주상이 정무를 보는 곳이지."

"이안군도 저기서……."

"궁에서 그 이름 함부로 꺼내지 마라. 국문장에 가기도 전에 잡혀가겠다."

안유군이 내 말을 황급히 끊었다. 나는 말을 삼키고 몇 번이나 그 건물을 돌아보았다. 환이 어떤 사람인지 잘 안다고 생각했는데, 그가 너무 멀게 느껴졌다.

오늘 국문은 비밀리에 국왕과 대신들만 참여하는 자리라고 했다. 이안군의 역모 행위는 아직 공포되지 않았다. 안유군의 말로는 지금 조정이 가뜩이나 외교 문제로 혼란스러운데 민심마저 동요할까 왕이 몸을 사리는 것이라 했다.

돌바닥 위에 내려앉은 낙엽들이 바삭바삭 소리를 내며 발밑에서 부서졌다. 죽은 잎사귀들이 귓가에 속살거리는 것이 퍽 간지러웠다. 저 잎들은 이제 다음 해 새 잎을 위한 거름이 된다. 세상이란 그런 식으로 돌아가는 것이다.

문을 몇 개나 지나치고 복잡한 길을 지나서야 국문장에 도착했다. 국문장에 다 왔을 때 안유군은 잠시 발을 멈추고 심호흡을 했다. 나는 손을 쥐었다 폈다. 손바닥은 땀으로 축축했다.

"마지막으로 묻는다. 할 수 있겠냐?"

안유군이 작은 목소리로 물었다.

"예."

한마디 한 것뿐인데도 숨이 찼다.

"나도 할 수 있는 것은 다 하마."

"너무 마음의 부담 지지 마십시오. 올라올 때부터 어느 정도 각오했던 일입니다."

"그래, 가자."

안유군은 문을 밀었다. 나는 무거운 발걸음을 뗐다.

쪽문을 밀자 돌바닥이 깔린 작은 마당과 지붕이 높은 건물이 나타났다. 한 걸음 내딛자마자 묵직한 공기가 폐부를 훅 찔렀다.

저 앞 처마 그늘 아래 붉은 옷을 입은 남자가 높은 의자에 앉아 있었다. 그 아래 돌바닥에는 나무 의자에 묶인 환의 뒷모습이 보였다.

"고개 숙여라."

안유군이 낮게 속삭였다. 절대로 왕과 눈을 마주쳐서도 안 되고 용안을 바로 보아서도 안 된다고 했다.

"대체 몇 번을 말해야 하나? 그런 편지를 쓴 적도 없고, 알지도 못한다고."

환의 목소리가 들렸다. 환은 우리가 온 것을 미처 눈치채지 못한 모양이었다.

나는 안유군을 따라 앞으로 나아갔다.

"전하. 국문을 잠시 중단해주십시오. 이안군의 억울함을 밝힐 새로운 증언이 나왔습니다."

안유군이 바닥에 엎드리며 말했다. 나도 얼른 그를 따라 엎드렸다.

"새로운 증언?"

처음 듣는 왕의 목소리는 약간 쉰 소리가 났다. 안유군이 이제 일어나라 속삭이기에 일어났다.

"이 아이의 말을 들어주십시오."

국문장에 있던 모두의 시선이 나와 안유군에게 쏠렸다. 환도 이쪽으로 고개를 돌렸다. 환의 눈이 커졌다.

"잠시만, 이 아이는 아무 상관이 없어!"

"시끄러우니 잠시 조용히 있게 해드려라."

환이 소리를 치기 무섭게 왕이 명했다. 군졸들이 당장 환의 입에 재갈을 물렸다.

"그래, 네가 역모의 진상을 밝힐 증언을 하겠다는 것이냐?"

왕이 몸을 앞으로 내밀고 내게 물었다.

나는 무거운 입술을 뗐다. 입은 열었는데 목소리가 나오지 않왔다. 몸이 제멋대로 떨렸다. 짧은 손톱이 손바닥을 파고들었다. 쏟아지는 시선들이 따가웠다. 어디서 낙엽이 구르는 소리마저 음산했다. 당장이라도 엎드려 빌고 싶었다.

나는 깊게 숨을 들이키고는, 금위영의 무사들이 찾아온 밤 환이 보여주었던 당당한 모습을 떠올렸다.

나 역시 오늘은 비굴하고 싶지 않았다. 평생 높은 사람들에게 굽실대는 법밖에 배우지 못한 나지만, 환의 증인으로 선 오늘만큼은 다른 사람이고 싶었다.

나는 이 자리에 빌러 온 것이 아니다. 그를 위해 증언을 하러 온 것이다.

"그렇습니다, 전하. 증좌도 있습니다."

간신히 목소리를 쥐어짜내 답했다.

"증좌도 있다? 한번 이야기를 해봐라."

환은 두려운 눈길로 나를 바라보고 있었다.

아니에요, 나리. 나리께서 생각하시는 그런 말을 하러 온 것이 아닙니다.

저는 나리와 함께 엮이러 온 것이 아니라, 오히려 저와 나리의 연을 끊어버리러 왔습니다.

"그 역모의 편지는……."

나는 운을 뗀 후 크게 심호흡을 했다. 다음 말을 하면 돌이킬 수 없는 일이 된다.

어릴 때 계곡에서 풀잎 배를 띄우고 논 일이 있었다. 풀잎 배에서 한번 손을 떼면 빠른 유속이 제멋대로 배를 싣고 가버린다. 처음 손을 놓을 때 말고 내가 할 수 있는 일은 없다. 그 뒤는 엎어지든 넘어지든 그냥 물살이 하는 거다. 그러니 작은 배가 순항을 하려면 처음 손을 놓을 때 최대한 신중해야 한다.

나는 주먹을 꽉 쥐고 한마디 한마디를 또박또박 말했다.

"제가 썼습니다."

나의 증언은 자백이었다. 진실로 환을 구할 수 없다면 허위로라도 살려야 했다. 손이 떨리는 것을 감추려고 양손을 꽉 모아 옷자락에 파묻었다.

"역모를 꾸민 것은, 이안군이 아니라 접니다."

환의 눈동자가 충격으로 흔들렸다. 그는 입이 틀어 막힌 채 고함을 쳤다. 그러나 입 밖으로 나오지 못하는 그 외침은 그저 울부짖음에 불과했다. 이곳에 있는 이들은 아마 환이 배신감에 내게 소리친다 생각할 것이다.

안유군은 일에 앞서 내게 물었다. 어째서 이렇게까지 하느냐고.

그때 나는 대답했다.

힘이 없는 자가 중요한 것을 지키려면 가능한 방법은 희생뿐이라고.

언젠가 환이 내게 해주었던 말이었다.

"무슨, 허참, 말도 안 되는……! 필적을 이미 확인한 후인데, 어디서 사주를 받아 감히 국문장을 어지럽히느냐!"

왼편에 서있던 노인네가 버럭 소리를 질렀다. 눈치를 보아하니 그가 말로만 듣던 좌상인 모양이었다.

"증좌가 있습니다!"

나는 가지고 왔던 열쇠를 바닥에 던졌다.

"우선은 제가 그곳을 마음대로 드나들었다는 증좌입니다. 이것은 이안군이 갇혀 있던 곳의 자물쇠를 여는 열쇠입니다. 저희 고을 관아의 인장이 찍혀 있습니다. 확인해보시면 저 같은 것이 쉽게 위조할 수 없는 물건이란 것을 아실 겁니다."

"확인해봐라."

왕의 명에 관리가 와서 열쇠를 주워 갔다. 관리 몇이 와서 한참 자기들끼리 수군덕거렸다.

"일단은 맞는 것 같습니다. 더 자세한 감정은 해봐야 하겠지만, 외견상으로는 그쪽 관아의 물건으로 보입니다."

"그 관아에 있는 다른 열쇠를 훔친 걸 수도 있소! 그 자물쇠의 열쇠라 어떻게 확신한단 말이오? 이건 분명 이안군을 구명하려 친백파의 자들이 꾸민 간계입니다, 전하."

좌상이 빠르게 말을 쏟았다. 예상한 그대로의 반응이라 헛웃음이 나올 뻔했다.

"게다가 편지의 필적은 분명 이안군의 필적과 일치하지 않습니까?"

"그 편지는 제가 썼습니다."

내 말에 좌상이 나를 죽일 듯이 노려보았다.

"어디서 말도 안 되는 소리를 하느냐? 네가 글을 알기나 한다는 소리냐?"

"저는 이안군에게 글 쓰는 법을 배웠습니다. 하여, 그와 필체가 같습니다."

"그게 무슨 말도 안 되는……."

"종이와 붓을 주십시오. 제가 그 편지를 썼다는 것을 이 자리에서 증명할 테니."

내 말에 국문장이 술렁였다. 슬쩍 고개를 들어 확인하니 왕은 생각에 잠긴 듯 턱을 쓸고 있었다.

"그 편지의 내용을 제가 똑같이 써 보이겠습니다."

"스스로 역자라는 걸 밝히기 위해 그렇게까지 하겠다라……."

왕이 중얼거렸다. 무언가 눈치챈 것일까. 섬뜩한 예감을 떨쳐 버리려 애를 썼다.

그럴 리 없다. 왕은 굳이 환을 죽이고 싶어 하지 않는다고 했다. 왕에게도 제 동기를 죽여야 한다는 부담을 덜어주는 내 존재가 기꺼울 테다.

"일단 종이와 붓을 가져다 줘라. 한번 보기나 하자."

"그러십시오. 같을 리가 없으니."

좌상이 비웃음 섞인 말투로 답했다.

"필체라는 것은 아무리 흉내 내려 해도 결국은 엇나가는 것. 만약 다르다면 네 뒤를 사주한 자들이 누군지 불어야 할 것이다."

좌상이 내게 말했다. 나는 대꾸하지 않았다.

곧 관리들이 종이와 붓을 가져다주었다. 나는 붓끝에 먹을 적셨다. 환이 가르쳐준 딱 그 방식대로. 너무 많아서 종이에 번질 정도도 아니고, 그렇다고 너무 적어서 획이 갈라질 정도도 아닌 양으로.

나는 편지의 필체를 본 적이 없다. 하지만 좌상의 말대로 필체라는 것은 아무리 흉내 내려 해도 결국은 어긋나는 것이다. 누가 환의 필체를 흉내 냈는지는 몰라도 분명 진짜 환의 필체와는 미묘하게 다른 점이 있을 것이다. 그 편지나 나나 둘 다 환을 흉내 내려 하는 것이니, 어쩌면 흉내 내는 자들끼리 더 닮았을지도 모른다.

위험한 도박이었다.

그러나 최소한 이 행위를 통해 그 편지는 힘을 잃게 될 것이다. 그 뒤로는 우기기 나름이다. 하지만 이왕이면 신명이 나를 도와 내 필체가 그 편지와 더 비슷했으면 좋겠다.

환도 예전에 내 필체를 보고 너무 닮아 놀란 적이 있었다. 실수만 없다면 이 세상 누구보다 환의 필체를 비슷하게 흉내 낼 자신이 있었다. 실수만 없다면.

나는 외워둔 편지의 내용을 종이 위에 적어 넣기 시작했다. 편지를 직접 보지는 못했지만, 내용만은 안유군이 알려주었다. 모르는 글자가 많아 며칠을 걸려 완벽하게 외웠다. 환을 흉내 낸 자가 작은 획 하나 빠트렸을 리가 없으니, 나 역시 모든 글자를 온전하게 써야 했다. 점 하나 허투루 찍어서는 안 되었다.

나는 마지막 글자를 적고 붓을 놓았다. 고개를 드니 좌상이 오만상을 쓰고 있는 것이 보였다. 제가 보기에도 비슷한 것이다. 그리고 환은 여전히 소리를 지르고 있었다. 그와 눈이 마주쳤다. 환의 눈은 붉게 충혈되어 있었다. 벗어나려고 얼마나 몸부림을 친 것인지 의자 팔걸이에 칭칭 묶인 손이 새빨갛게 달아올라 있었다.

"나리. 너무 밉게 여기지 마십시오. 저도 다 그럴 만한 이유가 있었던 것이니. 그리고 그러시다 고운 손이 다 상하겠습니다."

나는 환의 귀에만 간신히 닿을만한 목소리로 말했다.

"가져가서 세 필적을 비교해와라."

왕이 명하자 관리들이 종이를 챙겨 바쁘게 어딘가로 갔다.

"이건 뭔가 이상합니다, 전하. 저 애에겐 동기가 없지 않습니까?"

좌상이 말했다.

"동기는 있습니다."

내가 답했다. 그 정도 답은 준비해왔다. 안유군 앞에서 몇 번 연습도 했다.

"이안군이 절 조금 마음에 들어 하는 듯하기에 이 남자를 이용해서 그 지긋지긋한 섬 바닥 한번 떠나보자는 생각이 들었습니다. 이안군이 다시 왕이 되면 저도 궁에서 살게 될 거라 생각했지요. 이런 기회가 아니면 제가 어떻게 신분 상승을 꿈꿔보겠습니까? 어디 향반 첩실로라도 들어가면 감지덕지라고 생각하던 차에, 궁에 들어올 기회가 생겼는데 이걸 어떻게 놓칩니까? 여기 계신 대감마님들이라면 안 그렇겠습니까? 그놈의 권좌에 오르려고 혈육끼리 상잔하기도 한다는데, 저라고 못할 게 뭐가 있습니까?"

내 참담한 말에 모두 아무 소리도 내지 못했다. 환의 뜻 모를 고함만이 끊이지 않았다.

"그렇다면 어째서 이제 와서 자백을 하는 거지?"

왕이 날카롭게 물었다.

이 질문에 대한 답도 마음속으로 생각은 해왔지만, 입 밖으로 낸 적은 없었다. 이것까지 안유군의 앞에서 떠들어대기엔 너무 계면쩍은 기분이 들었던 것이다.

나는 고개를 돌려 환을 내려다보았다. 가엾게도 그의 눈가에는 눈물이 글썽이고 있었다. 그 눈물을 보자 어려울 것만 같던 말이 술술 흘러나왔다.

"사랑하게 됐으니까요. 멍청하게, 이 사람을 사랑하게 되었지 뭡니까?"

첫 고백이 마지막 고백이다.

좋다는 말을 들어도 목구멍이 간질거려 나도 당신이 좋다 말하지 못했다. 하물며 사랑한다는 말은 머릿속에 빙빙 돌기만 하지 창피해서 할 수가 없었다.

그걸 이렇게 말하게 될 줄이야.

나는 이제 처형당할 것이다. 사지가 뜯겨 죽을 수도 있고 고신을 받다 죽을 수도 있다. 환은 그나마 왕족이어서 이렇게 오래 검토라도 한 것이지, 나 같은 것은 역모의 죄라 판단되면 가릴 것도 없이 극형이라 했다.

오래 망설였다. 나 없는 시간 속에 그를 흘려보낼 일이 두려웠고, 걱정스러웠다. 정성껏 만든 풀잎 배를 띄울 때처럼 손을 놓기 전까지 고심하고 또 고심했다.

몇 번을 다시 생각해도 결국 결론은 하나였다. 나는 세상에 내가 없는 것보다 환이 없는 게 더 괴롭다.

이제 당신은 내가 닦아줄 수 없는 눈물을 한동안 흘리겠지.

그 눈물이 슬픔을 씻겨낼 수 있다면 좋겠다.

헤어지던 날이 떠오른다. 환은 한두 계절만 기다리라 했다. 돌아오지 못할 걸 알면서 거짓말을 했던 거다. 그러게 왜 먼저 거짓말을 하셨습니까? 환이 나를 지키고 싶었던 만큼, 나도 환을 지키고 싶어 하는 걸 알면서.

장맛비가 내리던 날, 그와 마주 앉아 식사를 하던 기억이 난다. 한쪽 다리가 달그락거리는 작은 상에서는 습기를 머금은 오래된 나무 냄새가 올라왔다. 그 낡은 냄새까지도 마냥 좋았다.

그리고 그 이전의 봄, 나를 구하겠다고 한달음에 환이 달려온 날.

처음으로 당신을 안았던 날. 입을 맞췄던 그때. 범의 울음소리를 들으며 떠는 내 어깨를 감싸 안던 체온.

겨울, 구들장에 올라오는 열기보다 더 따뜻했던 당신의 품. 외롭다던 말. 당신이 외롭지 않길 바랐어. 왜냐면 내가 너무 외로웠거든.

함께 바라본 바다, 물살 위에 산산이 깨진 햇살, 무심히 손을 잡자 어쩔 줄 모르던 당신의 표정.

서로 이름을 짓자던 이상한 남자.

처음 절벽으로 올라오던 그 지치고 공허한 눈빛.

모든 것이 빠르게 내 머릿속을 스쳐지나갔다.

내가 태어난 곳은 작은 섬이다. 육지의 일은 대개 바다를 건너오지 못한다. 하물며 대국의 정세는 말할 것도 없다.

대륙에서 벌어진 연나라와 후백의 싸움, 그 사이에서 어느 쪽의 손을 잡아야 할지 갈등하던 작은 나라가 있었다. 조정은 친연파와 친백파로 갈려 싸웠다. 오랫동안 쌓여온 왕실 사람들의 애증과 은원도 그 불길에 기름을 끼얹었다. 일은 정신없이 흘러 왕좌의 주인마저 바뀌었다. 세상의 물살은 언제나 숨 가쁘게 빠르다. 꼬리에 꼬리를 물던 일들은 급류가 되어 모두를 휩쓸었다. 그 급류의 어느 암초에서 환과 나는 만났다.

이 일련의 일들은 먼 섬에서 바라보면 웃기는 촌극이지만, 여기 한성에서는 휘몰아치는 소용돌이였다.

소용돌이에 휘말린 사람들이 지금 이곳 국문장에 있다.

그리고 그 소용돌이는 내 죽음으로 끝을 맺는다.

환,

난 후회는 없어요. 내 세계에서 가장 소중하던 것을 지켰으니.

닿을 수 없는 말을 속으로 수백 번 되뇌었다.

환이 나를 잊었으면 좋겠다.

환이 나를 기억했으면 좋겠다.

그래, 역시 나를 기억했으면 좋겠다.

오래오래 죽는 날까지 기억해줬으면 좋겠다. 내 미숙한 고백의 열기가 흩어져버리더라도, 저 낙엽처럼 바싹 말라버리더라도.

어느 책장에 꽂힌 주홍 낙엽처럼 종종 들춰보는 그런 빛바랜 추억이었으면 좋겠다.

"그래서입니다. 이 사람을 제 거짓말로 죽게 하는 것은 너무 미안합니다. 게다가 어차피 이안군이 죽으면 제 꿈도 물거품이 되는 것이니 다 무상하지요."

내 말이 끝났을 때쯤 필적을 확인하러 갔던 관리들이 달려왔다. 그들은 위조된 편지와 내 필적, 그리고 환의 진짜 필적을 펼쳐놓았다. 분명 셋 다 비슷했지만, 굳이 따지자면 내 필체가 편지의 것과 더 흡사했다. 신명이 도왔다. 이것으로 환은 풀려난다.

"그렇군. 그래서 이안군이 자신이 쓰지도 않았고, 모른다고 한 거였군. 정황도 일치하고 자백도 있으니 이안군은 다시 위리안치에 처하고 이 여자애는 역모로 다스릴까 하는데.”

왕이 좌상에게 고개를 기울이며 말했다. 좌상이 세차게 고개를 저었다.

“말도 안 됩니다! 저 계집애가 저 편지를 썼을 리가 없습니다!”

“좌상 대감.”

안유군이 비실비실 웃으며 끼어들었다.

“마치 좌상 대감께선 그 편지를 누가 쓴지 알고 계신 것처럼 말씀하십니다?”

안유군의 한마디에 좌상이 일순 굳었다.

“누가 쓰는지 옆에서 보기라도 하신 것처럼 말입니다.”

“안유군!”

좌상의 목에 핏대가 섰다.

“그게 아니면 그리 흥분하지 마시지요, 대감. 모르는 사람들이 보면 오해하겠습니다.”

안유군의 유들유들한 말에 좌상은 이를 악물고 얼굴을 붉혔다.

“좋습니다. 이렇게 된 거, 저 아이를 철저히 고신해서 친백파의 누가 저 애와 편지를 주고받았는지 알아내야 할 겁니다.”

좌상은 환은 포기하고 나머지 친백파라도 나와 함께 엮을 생각인 모양이었다. 분명 알지도 못하는 이름들을 대며 내가 그들을 긍정할 때까지 고문을 계속할 것이다. 하지만 나는 나의 지옥에 다른 누군가를 끌어들일 생각이 없었다. 괴로운 것은 나 하나로도 충분했다.

"감히 사욕으로 조정과 나라를 어지럽혔으니, 저것을 극형에 처하고, 그 전에 누가 이 일에 가담했는지 그 입에서 토해내게……."

왕이 갑자기 말을 뚝 멈췄다. 그의 시선은 묶여있는 환에게 꽂혀 있었다. 나를 포함한 모두가 그의 시선 끝을 따라 고개를 돌렸다.

환의 입가에 피가 흘러내리고 있었다. 재갈을 물려둔 흰 천에 붉은 피가 번졌다.

"빨리 풀어!"

왕이 소리쳤다. 군졸들이 다급하게 그의 입을 풀고 입안에 손을 넣어 피가 뚝뚝 떨어지는 혀를 빼냈다. 환이 힘겹게 숨을 쉴 때마다 입가에 피가 번졌다.

"내가……."

환의 목소리가 갈라졌다. 너무 소리를 친 탓에 완전히 쉬어버린 듯했다.

"내가 썼다, 편지."

국문장에 일순 정적이 흘렀다. 나는 뒤통수를 세게 얻어맞은 것처럼 정신이 멍해졌다.

"나리, 그게 무슨……!"

"이것 보십시오, 이안군이 했다지 않습니까? 저 아이는 분명 친백파에서 사주한 겁니다."

좌상이 신나서 끼어들었다.

"내가 썼어, 내가……."

환은 용상을 똑바로 노려보았다.

"아까는 안 쓰셨다더니?"

왕이 미간을 찌푸렸다.

"내가 썼다고!"

환의 목소리가 국문장을 쩌렁쩌렁 울렸다.

"전하! 이안군 환을 참하십시오!"

좌상이 연달아 외쳤다.

"나리, 대체 왜……."

다리에 힘이 풀려 자리에 주저앉았다. 주변의 시야가 흐려졌다. 피를 흘리는 환의 모습만이 내 눈에 들어와 박혔다.

왕이 자리에서 일어났다. 그는 천천히 계단을 내려왔다. 무거운 정적 속에 돌바닥을 딛는 발걸음 소리만 울렸다.

왕은 환의 앞에 쭈그려 앉았다. 용포가 돌바닥에 끌렸다. 나는 멍하니 두 사람의 옆모습을 바라보았다. 뒤늦게 왕을 쳐다보아서는 안 된다던 안유군의 충고가 떠올랐지만 시선을 뗄 수가 없었다.

왕은 바닥에 닿을 듯이 긴 한숨을 내쉬더니 삐뚜름하게 환을 올려다보았다.

"형님, 제가 살려드리려고 해도 왜 죽으려 난리십니까?"

정말로 이해가 가지 않는다는 투였다. 환은 그의 시선을 피하지 않았다.

"첫값은 내가 치를 테니 저 아이는 그냥 돌려보내. 아무 것도 모르는 아이야. 이 일에 잘못 얽힌 것뿐이니 돌려보내."

하지만 왕은 영 신통치 않은 표정이었다.

"글쎄요, 저런 것 하나 죽든 말든 제 알 바 아니고……. 저는 어찌 되었건 형님이 사셨으면 좋겠습니다. 그래야 돌아가신 그분께 덜 죄송하니까요."

환의 입가가 굳었다. 왕은 픽 웃더니 말을 이었다.

"참 다정한 분이셨죠. 다른 여자의 아들인 저한테도 늘 따스하셨습니다. 제 모친보다 그분을 좋아했죠."

"내 모친은……."

"예, 형님. 저도 압니다. 그분이 그렇게 되신 건 제 친모의 사주 때문이지요. 그래서 형님을 죽이고 싶지 않습니다. 죽일 수가 없습니다. 이렇게 죽여버리고 싶은데도……."

왕은 의자에 묶인 환의 손등 위에 손을 올렸다. 그는 환의 손을 잡아 뜯을 듯 꽉 쥐었다. 환이 살짝 눈살을 구겼다.

"사지를 꺾어 무력하게 전시하고 싶은데도……. 차마 죽일 수는 없습니다."

그는 환을 미워하는 것도 같고, 애틋이 여기는 것도 같았다. 나로서는 그 감정을 도저히 가늠할 수가 없었다.

"형님을 보면 그분이 생각이 나서요."

왕은 허하게 웃었다.

"그분이 그렇게 되신 후 저는 사나흘마다 그분을 찾아뵀지요. 궁에서 외롭던 제게 가장 다정한 분이셨으니까요. 저는 정말 그분을 어머니 같이 생각했거든요. 그런데 형님은 어떻게 하셨습니까? 그분을 유폐시킨 후 숨을 거둘 때까지 한 번도 돌아보지 않으셨죠. 형님의 정치적 맹점이 친모인 그분이라는 이유로 말입니다."

"내 모친의 병으로 나를 하루가 머다 하고 공격한 것은 너와 네 모친이었다. 기억이 나지 않느냐?

"그래서 임종 때도 느지막이 나타나셨던 겁니까? 그분의 임종을 지킨 것도, 형님이 오셨을 때 그분의 주검 앞에서 울고 있던 것도 저였습니다. 형님은 마지못해 오셔서, 가식적으로 우셨죠."

"가식은 아니었어."

"아뇨, 형님은 그런 분입니다. 자기밖에 모르는 분이지요."

"그건 너도 마찬가지지."

"그분의 유언이……. 형님을 잘 부탁한다는 것만 아니었어도 벌써 죽여버리는 건데."

"그래, 그런 부탁을 받아서 나를 여기까지 끌어내렸구나."

"하다못해 그분이 미친 이유가 내 모친만 아니었어도 이렇게 내가 망설이지는 않을 텐데……."

왕은 갑자기 나를 휙 돌아보았다. 고개를 숙일 새도 없이 시선이 마주쳤다. 싸늘한 눈빛에 온몸이 얼어붙는 것 같았다.

"그런 형님이……. 자기 모친마저 외면했던 사람이……. 누군가를 이렇게 감싸는 걸 보니 제 배알이 뒤틀립니다. 이런 개운치 않은 일로 형님을 죽이자니 그분이 생각나고, 그렇다고 둘 다 풀어주자니 그건 안 되겠습니다. 형님은 사십시오. 저 아이는 제가 역모로 참할 테니. 평생을 후회와 고통 속에서 사십시오."

"그 편지는 내가 썼다고 하지 않느냐?"

"저 아이는 그리 말하지 않던데요."

"제가 감히 한 말씀 올려도 되겠습니까, 전하?"

음산한 대화를 깨트리고 들어온 것은 안유군이었다. 누구도 생각지 못한 행동이었다. 안유군의 목소리에 나도 정신이 퍼뜩 돌아왔다.

"두 사람 모두 자신이 썼다 주장하는 상황이니 편지의 증좌로서의 효능이 의심되는 터, 이 문제에 대한 처분을 미루어주시기를 바랍니다."

"겁이 없구나, 안유군."

왕의 서슬 퍼런 말에도 안유군은 물러나지 않았다.

"역모의 죄가 무겁기는 하나 극형 또한 신중해야 합니다, 전하."

"안유군."

"예, 전하."

"천한 피가 섞인 반쪽짜리 주제에 많이 컸구나."

"……송구합니다."

안유군은 주먹을 꽉 쥐었다.

"하지만 전하, 두 사람 다 조정을 어지럽힌 죄가 크나 극형은 면하게 해주십시오. 천륜이 있지 않습니까?"

"천륜이라."

왕은 몸을 일으켰다. 그는 용포 자락을 탁탁 털었다.

"왕궁에는 천륜이 없다만……."

"전하, 극형을 내리셔야 합니다. 나라를 어지럽힌 죄를 용납하고 지나가면 이자들 뒤에 있는 반역 도당들이 조정을 우습게 알 것입니다."

좌상 역시 지지 않고 말했다.

"그래. 죄가 없다 할 수는 없지."

"그러나 역모의 증좌는 이미 깨졌습니다. 필체는 누구나 만들 수 있음을 이 아이가 보인 것 아니겠습니까? 편지는 분명 한 사람이 썼을 텐데 둘이 주장하니 이대로 판결을 내릴 수는 없는 일입니다. 우선은 극형을 미루고 이 일을 더 신중히 다루시는 게 옳을 듯합니다. 후에 이 둘이 억울하다는 사실이 밝혀지면 민심의 동요가 일 것입니다."

안유군의 말에 왕은 혀를 찼다.

"그깟 민심이야 틀어막으면 그만이지."

"전하, 제발!"

안유군은 바닥에 쓰러지듯 엎드렸다. 돌바닥에 굵은 눈물이 뚝뚝 떨어졌다.

"형제간에 피를 보고 싶지 않습니다. 제발, 돌아가신 그분을 생각해서라도……. 그분의 마지막 말씀을 생각해서라도……."

왕은 앞니로 엄지를 꽉 깨물더니 안유군을 외면했다.

"……일단은 포박부터 풀어드려라. 역모에 대해서는 더 조사를 한다."

왕의 명에 군졸들이 환을 묶고 있던 줄을 끊었다. 줄이 환의 발치에 툭 떨어졌다.

"그때까지 이안군은 다시 위리안치 시키고……."

왕은 거기까지 말하고 내게 고개를 돌렸다.

"이 계집애는 어떻게 할까?"

그의 시선이 나를 천천히 훑었다. 뱀의 혀가 몸을 훑고 지나가는 것 같았다.

"역시 죽여버릴까?"

그 말이 나오기 무섭게 환이 의자에서 내려와 그의 앞에 무릎을 꿇었다. 눈물이 환의 뺨을 타고 내렸다.

"제발, 제발……. 성은을 베풀어주십시오, 전하. 정말 죄 없는 아이입니다. 무고한 백성을 이렇게 해할 수는 없는 일입니다."

"이런 눈물을 진작 보여주셨으면 좋았을 것을."

왕은 냉담하게 환을 내려다보았다.

"저는 죽이셔도 좋으니 저 아이는 무사히 보내주십시오⋯⋯."

"무사히라. 벌을 내리지 않으면 되는 겁니까?"

"예, 전하. 제발 벌을 면하게 해주십시오."

환의 눈물이 붉은 용포의 끝자락을 적셨다. 언젠가는 환의 것이었던 용포였다.

"그럼 어쩐다⋯⋯."

왕은 손끝을 질겅이며 나를 한참 응시했다. 그때 좌상이 한 걸음 앞으로 나왔다. 주름진 가는 눈이 나를 샅샅이 훑었다.

"묘책이 떠올랐습니다, 전하."

"말해보게."

"아시다시피 지금 후백에 보낼 공녀가 부족한 실정입니다. 어차피 누군가를 보내야 한다면, 죄 없는 양민 한 명을 보내느니 국정을 어지럽힌 죄인인 이 계집을 보내는 게 나을 것으로 사료됩니다."

말을 마친 좌상의 입가가 위로 실룩였다.

"전하! 그것은⋯⋯."

"조용히 좀 하십시오. 생각 중이지 않습니까?"

왕이 환의 말을 신경질적으로 끊었다.

"마침 나이도 적당한 듯합니다, 전하."

좌상이 조곤조곤 고했다.

"공녀라……."

왕은 입맛을 다시더니 좌상 쪽을 돌아보았다.

"묘책은 묘책이군. 그리하지. 저 계집을 잡아라. 후백으로 보내야겠다."

명이 떨어지기 무섭게 군졸들이 내 양팔을 꽉 잡고 입을 틀어막았다. 왕은 등을 돌려 저편으로 걸어갔다. 시전에서 끌려가던 여자들의 모습이 떠올랐다. 그 여자들이 후백에서 심한 일을 당한다던 안유군의 말도 생각났다.

안유군의 말은 공갈이 아니었던 모양이었다. 환이 거의 울부짖듯 왕을 불러 세웠다.

"전하! 연서군!"

그러나 왕은 멈춰 서지 않았다. 자신의 결정을 번복할 생각이 없다는 듯이.

"경!"

환이 비명처럼 외쳤다. 왕은 발걸음을 멈추고 환을 천천히 돌아보았다.

"경아, 부탁이다."

아주 잠깐이지만 왕의 눈가가 파르르 떨리는 듯했다.

"경아, 제발……."

"군주에게 예를 갖추시지요, 형님."

"전하, 공녀는 안 됩니다. 그게 무슨 의미인지 아시지 않습니까?"

"욕심이 많으십니다. 제가 저 애에게 무슨 벌을 주겠다는 것도 아닌데."

"하지만 전하, 공녀는……."

"나라에서 필요해 쓰는 것뿐이니 딱히 벌도 아닙니다. 조정을 어지럽힌 것치고는 가벼운 대가지요."

왕이 다시 돌아서려는데 환이 다급하게 달려가 그의 옷자락을 잡았다.

"전하, 제발, 안 됩니다, 제발……."

"어명에 불복하시겠다는 겁니까?"

"제발, 제가 뭐든지 할 테니……. 절 죽이셔도 됩니다. 아니면 노비로 보내셔도 됩니다. 사지를 꺾으셔도 되고, 성이 풀릴 때까지 벌을 주셔도 됩니다. 그러니까 제발 저 아이는 무사하게 해주십시오."

환은 지금 자신이 얼마나 무서운 말을 하고 있는지 알까. 바닥에 엎드린 그의 몸이 사시나무처럼 떨렸다.

"제안 중에 별로 끌리는 것이 없군요."

"전하, 뭐든지 하겠습니다. 전하! 제발 공녀만은, 후백에 공녀만은……."

"후백에 공녀가 뭐 어때서 이 난리이신지."

"전하도 아시지 않습니까? 제발……. 너무 가혹하십니다."

"그럼 죽일까요?"

왕의 입가에 잔인한 미소가 걸렸다.

"좋습니다. 제가 형님께 선택권을 드리죠. 저 계집의 운명은 형님께서 결정짓는 겁니다. 죽일까요? 아니면 후백에 공녀로 보낼까요?"

"전하, 제발……."

"역시 죽이는 편이 낫겠지요?"

"아니, 아니……."

환이 세차게 고개를 저었다.

"그럼 공녀로 보내라고요?"

"경아!"

"형님께서 정말 저 아이를 아끼신다면……. 저라면 차라리 저애의 죽음을 간청할 텐데요. 그 편이 지옥 같은 삶보다는 낫지 않습니까?"

"제발, 경아……."

"어서 죽이라고 말씀하세요. 죽이라고."

환의 입에서 말이 되지 못한 울음만이 터져 나왔다. 짐승의 소리 같은 그 울음에 애가 끊길 듯했다. 어느 새 내 눈에서도 눈물이 줄줄 흐르고 있었다.

"역시 말 못 하시는군요. 그럴 줄 알았습니다. 마지막 자비를 베풀어드렸는데도 말입니다. 하기야 자기 모친도 못 지켜 내친 나약한 분께서, 아끼는 계집을 제 손으로 죽일 수 있을 리가 만무

하지요."

"전하, 제발, 이건……."

"그럼 원래 결정대로 공녀로 보내도록 하지요. 형님의 모친께서 그렇게 쓸쓸히 돌아가신 것도, 저 애가 후백으로 끌려가는 것도 모두 형님의 선택인 겁니다."

아니다. 환은 잘못이 없다. 정말 아무 잘못도 없다.

어떻게든 말해주고 싶은데, 말해줘야 하는데.

재갈에 틀어막힌 입에서는 기껏해야 비명만 새어나오는 것이 전부였다.

"전하, 하지만 후백은……. 후백……."

환은 미친 사람처럼 후백이라는 말을 중얼거렸다. 왕은 거의 그를 발로 차듯 떨쳐냈다. 환은 기어가 다시 그의 옷자락을 잡았다.

"전하, 그럼 제가, 제가 다른 것을 드릴 수 있습니다! 전하께 꼭 필요한 것을 말입니다!"

용포 끝자락을 쥔 환의 손이 덜덜 떨렸다.

"형님."

왕이 가소롭다는 듯 환을 내려다보았다.

"주제에 감히 제게 거래를 제안하시는 겁니까?"

"전하께도 절대 손해될 이야기는 아닐 것입니다. 들어보십시오."

환은 간신히 숨을 진정시키고 말을 이었다. 턱에 맺혀 있던 피가 방울져 바닥을 적셨다.

"지금 후백의 부당한 폭정 때문에 국고에서 막대한 부가 빠져나가고, 백성들마저 보내고 있다 들었습니다. 제가, 제가 이 문제를 해결해드리겠습니다."

왕은 비웃음을 띤 얼굴로 환을 내려다보았다. 날벌레의 날개를 뜯어놓고 꿈틀대는 것을 즐기는 잔인한 어린아이처럼.

"저 아이를 무사히 보내주시기만 한다면, 제가 후백에 가서 이 문제를 해결하고 오겠습니다."

"후백에 가시겠다? 사신으로?"

"예. 공녀가 부족해서 문제라면, 공녀 같은 것을 보내지 않게 해결하면 되는 것 아니겠습니까?"

"사신을 일곱 번이나 보냈지만 해결된 것은 없었습니다. 형님이라고 뭐가 다르시겠습니까?"

"전하, 언제까지 이렇게 끌려갈 수는 없는 것 아닙니까? 분명이 문제로 근심이 크시겠지요. 후백의 왕은 아시다시피 저와 친분이 있는 자입니다. 제가 가서 전하의 성심을 밝히고 그들의 지긋지긋한 폭압을 종식시키고 오겠습니다. 힘만 믿고 날뛰는 저 오랑캐들이 다시는 전하께 무리한 요구를 하지 못하도록 말입니다."

"후백이라……."

왕은 턱을 쓸었다.

왕이 한동안 망설이자, 환은 갑자기 좌상에게 고개를 돌렸다.

"좌상, 좌상 대감께서도 그리 생각하지 않으십니까? 저 애가 공녀로 가는 것보다는 소신이 후백으로 가는 편이 낫다고 말입니다. 그리 판단하지 않으시냐는 말입니다."

무슨 생각일까, 좌상의 얼굴에 음흉한 희열이 차올랐다.

"좋은 생각이라 사료됩니다, 전하."

좌상이 느긋하게 입을 열었다.

"동행을 모두 전하의 측근과 제 측근으로만 붙이시면 될 듯합니다. 철저히 감시하도록 말입니다. 정 무엇하면 눈을 뽑으시든가, 양다리를 잘라서 보내십시오."

"저도 좌상의 말에 동의합니다. 눈이든, 다리든 얼마든지 뺏으셔도 좋으니……."

좌상의 말을 환이 빠르게 받았다.

"살다보니 좌상과 이안군의 생각이 같을 때도 있군요."

왕이 웃었다. 환은 거의 미친 사람처럼 매달리는데 왕은 너무나도 여유로웠다. 포식자의 여유였다. 그의 앞에서 우리는 모두 벌레에 불과한 것만 같았다.

"전하, 이 노신이 간곡히 부탁드리는 것입니다. 정 동기同氣를 참하시는 것이 내키지 않아 이안군에게 극형을 내리실 수 없다면, 후백으로 보내 나라에 작은 봉사라도 할 수 있게 하는 것이 그 죄를 씻게 하는 길일 것입니다. 그러나 또한 이안군은 위험한 자, 작은 힘조차 쥐여주어서는 안 되니 조그만 편의도 봐주지 마십시오."

좌상이 몸을 숙여 고했다.

"정말 마음이 놓이시지 않는다면 이 자리에서 바로 눈을 멀게 하고 발목을 끊으십시오. 세치 혀만 남겨주시면 제가 전하를 위해 무얼 못하겠습니까?"

환이 흐느꼈다. 그것은 인간의 말이라기보다는, 죽기 직전 짐승의 울부짖음처럼 들렸다.

"단지 저 아이를 자유롭게 해주는 조건으로 말입니까? 형님, 제가 일곱의 사신을 보냈지만 일곱 모두 죽어서 돌아왔습니다. 그 사실을 아십니까? 만에 하나 돌아오신다고 해도 제가 형님을 죽여버릴 수도 있고 말입니다."

"그래도 상관없습니다. 그저 저 아이만 풀어주신다면, 제가 전하에게 어떻게든 제 충심을 보이겠습니다."

충심이라는 단어에 왕의 입가에 잠시 비웃음이 스친 것 같았다.

"좋습니다. 하긴, 저 아이의 명줄은 제가 쥐고 있으니 형님이 다른 마음을 품지는 못하겠군요. 후백에서 조금이라도 다른 동태를 보인다면……. 차라리 공녀로 가는 편이 나았다 생각이 들게 해주겠습니다. 괜찮으시겠습니까?"

"예, 전하, 성은을……."

"그럼 그리하지요. 허나 이 일은 철저히 극비에 붙여져야 할 것입니다."

용포를 쥐고 있던 환의 손이 떨어졌다. 옷자락이 그의 손에서 스르륵 빠져나갔다. 왕은 몇 걸음을 가다가 바닥에 꿇어앉아 있는 환을 슬쩍 돌아보았다.

"아, 딱히 충심을 보고 싶어서가 아니라, 오늘 형님의 비참한 모습을 보니 제 마음이 퍽이나 흡족해서 그럽니다."

안유군의 저택으로 돌아오는 내내 우리는 한마디도 하지 않았다. 군졸들의 감시 때문에 경솔하게 입을 놀릴 수 없었다. 저택에는 이미 왕이 보낸 군졸들이 빈틈없이 깔려 있었다. 말이 사가였지, 지금은 거대한 감옥과 다를 바 없었다. 안유군은 우리를 별채로 데려갔다.

별채 안으로 들어오자마자 환은 안유군의 멱살을 잡았다.

"형님!"

"어떻게 이런 짓을 벌일 수가 있어!"

환의 손등에 파랗게 핏줄이 돋았다.

"나리, 진정 좀 하시고……."

말려야 할 것 같아 내가 팔을 끌었지만 환은 손을 놓지 않았다.

"내가 그렇게 부탁했는데……. 어떻게 이 애에게 그런 일을 시킬 생각을 했냐고!"

"형님이야 말로 지금 무슨 짓을 벌인 건지 아십니까?"

안유군도 언성을 높였다.

"저희가 형님을 살리기 위해 얼마나 노력했는데, 그 노력을 어떻게 이렇게 무참히 짓밟으신단 말입니까? 좌상이 흔쾌히 동의한 걸 보고도 모르십니까? 후백으로 간 사신 일곱 중 일곱이 죽어 돌아왔습니다! 지금쯤 좌상 일당은 자기들 손을 더럽히지 않고 일을 도모할 수 있다고 흡족해하고 있을 겁니다. 형님은 죽으러 가시는 거란 말입니다!"

"그래서? 거기서 저 애가 죽든 말든, 끌려가든 말든, 내가 네 그 알량한 정치적 계산에 놀아나줘야 했다는 거냐?"

"뭐라 말씀하셔도 제겐 형님이 더 중요했습니다. 제 동지들에게도요."

환은 거의 밀치듯 손을 놓았다.

"형제의 연은 오늘로 끊겼다고 생각해라."

"형님!"

안유군의 외침에 정신이 어질어질했다.

이제 어떻게 되는 걸까, 가면 환은 정말 죽는 걸까. 아니다, 죽지 않을 수도 있는 일이다.

어쨌든 됐다. 일단은 살았다. 환은 살아서 이렇게 내 앞에 있다.

아비는 구하지 못했지만 환은…….

눈앞이 아찔했다.

다리에 힘이 풀렸다.

"인화야!"

뒤로 넘어가려는 나를 환이 다급하게 잡아챘다. 그의 팔이 허리에 감기는 것이 느껴졌다. 눈앞이 깜깜해지더니, 곧 환의 체온만이 온통 나를 사로잡았다.

문득 일곱이 가서 일곱이 죽어왔다는 안유군의 말이 떠올랐지만, 지금은 그런 슬픈 생각은 하고 싶지 않았다.

다행이다. 그래도 다행이다.

◗ ◖ ◖ (

환이 우는 꿈을 꿨다. 섬이었다. 나는 없고 그 혼자 절벽에 걸터앉아 바다를 보고 있었다. 바람이 끊임없이 불어왔다. 그는 이미 없는 내게 미안하다 했고, 고맙다 했고, 사랑한다 했다.

그런 꿈이었다.

남자의 그림자가 곁에서 일렁였다. 그림자가 춤을 춘다 생각했더니, 등불이 떨리는 것이었다. 나는 잠결에 팔을 뻗어 그림자를 더듬었다. 자면서 울기라도 한 건지 눈가가 축축했다.

"일어났니?"

나는 이 목소리를 안다. 너무 부드러워서 마음을 자꾸만 간질이는 음성이다. 눈을 감고 들으면 봄바람이 치고 가는 꽃나무가 떠오른다.

"네……."

손등 위에 그의 손이 닿았다. 변함없이 따뜻하지만 상처가 많이 생겼다. 국문장에서 몸부림칠 때의 흔적인지 손톱 끝이 닳아 있었다. 고개를 들어 그의 얼굴을 봤다. 옥사에서의 처량하던 모습은 씻겨나가고 내가 기억하던 환의 모습으로 돌아와 있었다. 흐트러짐 하나 없고 단정하다.

"얼마나 잤어요?"

"돌아와서 줄곧. 반나절 정도 되겠구나. 의원 말로는 너무 피로한 거라던데."

"그런가?"

한참 자고 나서인지 몸이 개운했다. 아까의 현기증은 씻은 듯이 사라졌다. 일어나 보니 손발도 깨끗하고 옷도 갈아입혀져 있었다.

"배고프지? 일단 사람을 좀 불러오마."

"아, 나리, 그전에."

나는 환에게 팔을 뻗어 그를 꽉 끌어안았다. 그도 나를 세게 안았다. 코가 눌려 아팠지만 아무 소리 하지 않았다. 그가 내 턱을 쓸더니 천천히 입술을 겹쳤다. 나는 눈을 감았다. 달큰한 타액이 넘어왔다. 혀끝이 조심스럽게 안으로 들어와 얽혔다. 아직 상처가 덜 아문 것인지 그의 혀에서는 비릿한 피 맛이 났다. 시간이 아주 느리게 흐르는 것 같았다. 부드러운 자극에 점점 애가 달았다. 그의 손이 가볍게 골반께를 쓸었다.

종일 먹은 게 없는데도 허기가 지지 않았다.

환은 돌아왔다.

비로소 눈물이 쏟아지기 시작했다. 그는 우는 나를 품에 넣고 달래듯 등을 토닥였다.

괜찮아, 미안해, 그런 말을 그는 반복해서 했다.

나는 그를 가볍게 뒤로 밀었다. 그의 몸이 이불 위로 무너졌다. 입술을 맞댄 채 몸을 바짝 붙였다. 서로의 심장이 뛰는 것이 느껴졌다. 둘 사이에서 바스락대는 옷감이 걸리적거렸다. 나는 손을 내려 그의 상의를 풀어헤쳤다. 그의 손이 내 앞가슴 쪽에서 꼼지락대는가 싶더니 곧 옷이 흘러내렸다.

나는 몸을 떼고 그를 내려다보았다. 등불 때문인지 그의 얼굴은 석양 무렵의 모래사장처럼 살포시 주홍빛을 띠었다. 그가 눈을 뜨고 나를 마주보았다. 나는 얼른 남은 눈물을 손등으로 훔쳐냈다.

"영영 못 뵐 줄 알았습니다."

"네가 다칠까 봐 무서웠어."

그는 바닥을 더듬어 내 손을 찾았다. 나는 장난스럽게 손을 빼버리고 그의 가슴을 쓸었다. 그의 몸이 조금씩 열기를 띠고 긴장하는 것이 느껴졌다. 나는 그가 늘 내게 했듯 젖꼭지를 가볍게 물고 혀를 굴렸다.

그는 아, 하는 뜻 모를 음성을 짧게 흘렸다.

나는 숨을 깊게 들이쉬었다. 그의 몸에서는 산뜻한 풀냄새가
난다. 환이 태어난 것은 오월. 이 체취는 분명 오월의 들판에서 갑
작스럽게 불어오는 포근한 향이다. 거기에 이름 모를 꽃의 달콤
한 향도 희미하게 뒤섞여 있다. 산열매를 쥐어짜면 단내가 훅 퍼
지듯, 그의 피부를 꽉 누르면 아련한 향이 터져 나올 것만 같아서
나도 모르게 손에 힘을 주었다. 얕게 올라온 가슴이 손바닥에 감
겼다. 환이 앓는 소리를 냈다.

목울대와 어깨는 단단한 느낌이지만 가슴은 부드럽다. 아래로
이어진 허리의 선은 사내답게 곧으면서도 얄팍하다. 살짝 파인
배꼽 부분의 살은 야들야들한 감촉이다. 세상 어디를 찾아봐도
이렇게 사랑스러운 남자는 없을 거라 생각했다.

아래를 더듬자 이미 열이 바짝 올라 부푼 물건이 잡혔다. 나는
그의 하의를 대충 벗기고 성기를 꺼냈다. 아직 등불을 끄기 전이
었다. 나는 몸을 내려 기둥 아래를 쥐었다. 환이 내 아래를 핥던
것처럼 나도 가볍게 입술을 댔다. 그가 아래에 입을 맞출 때면 나
는 야릇한 열기를 감당하지 못하고 흐느꼈다. 그도 그런 기분을
느낄지 궁금했다.

"잠깐……."

그가 나를 밀어내려는 듯 어깨를 잡았다. 혀로 앞을 핥자 어깨

에 닿은 손끝에 힘이 바짝 들어갔다. 혀끝으로 기둥을 핥아내렸다. 달아오른 살 냄새가 코끝을 찔렀다.

"아가, 하지 마……."

말과는 달리 그의 것은 벌써 희열에 차서 맑은 액체를 흘리고 있었다. 나는 앞부분을 물었다. 그의 성기가 버겁게 입안을 채웠다. 별 맛은 느껴지지 않았지만 흐린 신음 소리가 귓가에 닿았다. 슬쩍 시선을 드니 환은 눈을 질끈 감고 이쪽을 외면하고 있었다.

오랜만이어서인지, 생소한 행위여서인지, 그게 아니면 둘 다인지. 환은 평소보다 더 격렬하게 반응했다. 고개를 조금씩 움직이니 그는 자신의 아랫입술을 거의 집어 뜯을 듯 깨물었다. 저러다 또 상처가 나겠다 싶어 잠시 행위를 멈추고 손가락을 넣어 그의 입을 억지로 벌렸다. 환이 눈을 떴다.

"다치시겠어요."

"인화야……."

그는 흐려진 눈빛으로 나를 찾았다.

"그만……."

"싫으세요?"

툭 던진 질문에 환은 곧바로 대답을 못했다. 채근하는 대신 손가락으로 성기의 앞부분을 은근히 문질렀다.

"그냥, 내가 못 참을 거 같아서."

"참으실 필요 없는데."

그가 이렇게까지 못 견뎌하는 게 신기하기도 하고 재밌기도 했다. 나는 다시 그의 것을 부드럽게 감싸 물었다. 아까보다 빠른 속도로 기둥을 훑어 내리자 그가 앓는 소리를 냈다. 끝까지 다 삼킬 수가 없어 손으로 아랫부분을 쥐었다. 타액이 흘러 질퍽거리는 소리를 냈다. 처음에는 나를 밀어내려는 듯 어깨를 잡고 있던 손에 점점 힘이 빠지더니 어느 순간 그의 손가락에 확 힘이 들어갔다.

"아, 안……."

입안에 비릿한 맛이 확 퍼졌다. 그의 몸이 전율하는 것이 느껴졌다. 환은 무언가 잘못한 사람처럼 확 몸을 빼더니 옆에 놓여 있던 젖은 천을 가져와 내 입 앞에 댔다.

그렇게까지 나쁜 맛은 아니었는데, 그는 울상이었다. 입안에 들어온 것을 천에 뱉어냈다. 희고 끈적끈적한 액체가 가득 떨어졌다.

"앞으로는 하지 마."

그는 별 의미 없는 당부를 한 후 나를 바로 쓰러트려 올라탔다. 파정을 한 후에도 그의 것은 처음처럼 단단했다.

밖에서 발소리가 언뜻 들렸다.

"여기까지 감시를 하는 건가요?"

"그렇지."

환은 길게 숨을 내쉬고 아래를 맞췄다. 수개월만의 침입을 기대하는 아래는 벌써부터 열이 몰려 뜨거웠다. 안의 이 간질간질한 느낌을 그가 빨리 해소해주었으면 했다.

그는 곧장 성기를 박아 넣었다. 미끄러운 액체 때문에 그의 것이 단숨에 빨려들어왔다. 조금 아릿했지만 그런 건 문제가 아니었다. 성기가 뿌리까지 박히는 순간 정신이 흐려졌다. 얼마나 기다린 것인지 안은 내 의지와 상관없이 곧장 그의 것을 조여댔다. 들어온 것만으로도 너무 좋았다. 그가 움직이기 시작하면 분명 못 참고 교성을 내지를 것 같았다. 나는 입술을 꽉 물었다.

"소리날까 봐?"

환이 내 입술을 매만졌다.

"밖에 사람들이 있으니까……."

"네 목소리를 못 듣는 건 아쉬운데."

그가 허리를 움직이자 저릿한 느낌에 몸이 비틀렸다. 아래에서 뜨거운 물이 왈칵 쏟아졌다. 오랜만이라 그런지 더 빽빽한 느낌이었다.

대체 몇 개월간 어떻게 이 쾌락 없이 살았는지 모르겠다. 잇새로 새어나가는 숨이 점점 가빠졌다. 나는 어떻게든 소리를 삼키려 끙끙댔다. 그냥 느긋이 오가는 것뿐인데도 정신을 차릴 수가 없었다.

"그렇게 참는 모습을 보는 것도 제법 동하는 것 같기도 하고."

환이 짓궂게 속삭였다.

곧 기둥이 빠르게 안을 왕복했다. 살이 퍽퍽 부딪치는 소리가 났다. 안이 멋대로 수축해댔다.

"흑, 산……."

팔에 힘이 빠졌다. 나는 손톱을 세워 바닥을 긁었다. 이불이 사각사각 긁히는 소리를 냈다. 그가 밀려들어왔다 나갈 때마다 열기가 점점 더해갔다. 깊은 뱃속이 그와 함께 딸려 나갔다 돌아오는 것도 같았다.

"아프지는 않아?"

"네, 네, 아프지는……."

쾌감 때문에 미약한 고통은 느낄 겨를도 없었다.

그의 움직임이 조금씩 격해졌다. 안을 때리는 감각이 아랫배에서 온몸으로 퍼져 나가는 것 같았다. 나도 모르게 그의 움직임에 맞춰 허리를 흔들었다. 그의 손이 아플 정도로 내 허리를 세게 쥐었다. 동시에 내 아래도 멋대로 펄떡이며 그의 것을 씹었다.

억지로 몸을 열고 들어오는 황홀경이 가슴 속 뭉쳐 있던 응어리를 부서뜨린다. 내 몸인데도 뜻대로 가눌 수가 없었다. 바르작거리고 경련하다 결국 참지 못하고 소리를 지르기 시작했다.

환이 다급하게 내 입을 손으로 틀어막았다.

눈물이 고여 떨어졌다. 허벅지에 힘이 바짝 들어갔다. 이미 한계까지 치달았는데도 그는 나를 계속해서 몰아붙였다. 몸을 산산조각 내는 듯한 쾌감이 폭발했다. 밖에 감시하는 눈들이 있다는 사실도, 이곳이 안유군의 별채라는 사실도 잊었다. 감당할 수 없는 쾌락에 허우적거리는 것이 전부였다. 시간이 어떻게 흐르는지도 몰랐다.

"하……."

환의 입에서 뜨거운 숨이 터져 내 목덜미에 닿았다. 나를 지그시 눌러오는 하중까지 황홀했다.

그는 내 몸을 꽉 끌어안았다. 아래가 빠듯하게 그의 것을 조였다. 서로 맞닿은 부분이 불이 붙을 듯 뜨거웠다. 열락에 겨운 잇소리가 내 귓가에 닿았다. 눈을 감았다.

그 순간이 마치 영원처럼 길게 느껴졌다.

파정이 끝나자 그의 팔에서 힘이 탁 빠졌다.

배 속에 그의 씨물이 퍼져 나가는 상상을 했다. 이상한 황홀감과 포만감이 들었다.

환이 내 위로 쓰러졌다.

나는 손을 뻗어 그의 흘러내린 귀밑머리를 넘겼다. 가슴께에 그의 눈물이 번져왔다.

그는 몸을 떼더니 나를 물끄러미 내려다보았다.

미지근한 눈물이 내 뺨 위로 후두둑 떨어졌다. 환은 여리다. 그의 피부를 손으로 누르면 눈물이 배어나올 것만 같다. 손을 뻗어 눈물이 번진 그의 뺨을 꾹꾹 눌렀다.

"미안하다."

환의 목소리가 갈라졌다. 울음으로 흐려졌어도 여전히 내가 좋아하던 그의 목소리였다. 오래오래, 하루라도 더 이 목소리를 듣고 싶었다.

새벽녘 잠든 그의 얼굴을 쓸었다. 환이 잠든 모습을 보는 것은 오랜만이었다. 섬에 있던 시절에는 늘 내가 먼저 잠들었다.

"나리."

"응."

잠결에 그가 웅얼거리듯 답했다.

"외로워요."

"왜?"

그는 눈을 감은 채 나를 안았다. 그의 체온과 체취에 내 몸이 흠뻑 물들었으면 했다. 그가 떠난 후에도 계속 이 감각을 기억할 수 있도록.

그러나 온기도 향기도 바람 몇 번이면 사라지고 말 것이다.

이렇게 가까이 있는데 사무치게 외로웠다.

🌐🌙☾☽

환은 사흘 뒤면 후백으로 떠날 예정이었다. 그가 한성에 있는 것을 왕이 꺼림칙해하기 때문에 최대한 서둘러 보내는 것이라 했다.

"너무 빨리 가서 서운하지는 않니?"

아침 식사를 하던 도중 그가 물었다.

"전혀요."

일부러 더 씩씩하게 대답했다.

"전혀?"

내 대답에 그는 당장 토라진 얼굴이 되었다.

"나리나 저 둘 중 하나가 죽을 줄 알았는데, 둘 다 멀쩡하지 않습니까? 그것만 해도 감사할 일인데요. 더 바라는 것도 없습니다."

그 말은 반만 진심이었다. 사실은 환이 가지 않았으면 좋겠다고 생각했다. 하지만 그렇게 말하면 그의 마음을 무겁게 할 것 같아 꾹꾹 삼켰다.

"난 서운한데……."

환이 들릴락 말락 하게 중얼거렸다.

"식사하고 나면 저택 안 산책이라도 하자. 저택을 나갈 수 있으면 좋겠는데……."

환은 지금 이 저택에 연금된 상태였다. 만약 환의 자택이 있었더라면 그곳에 가둬뒀겠지만, 마땅한 장소가 없어 안유군의 집으로 오게 되었다. 저택 안에도 왕과 좌상이 보낸 사람들이 곳곳에 퍼져 있었다. 이 순간도 문밖에서 사람들이 돌아다니는 기척이 났다.

"괜히 밉보일 짓은 하지 마십시오."

"아냐. 나갈 방법을 생각해봐야지."

"그러지 마시라니까요."

"지금이 아니면 언제 너와 이렇게 시간을 보낼지 모르잖니."

환의 말도 일리가 있었다. 환이 후백으로 떠나면 언제 돌아올지 모른다. 적어도 함께 있을 때만큼은 세상 누구보다 그를 행복하게 해주고 싶었다.

"뭐, 정말 안전한 방법이 있으면 생각해보고요. 위험한 건 이제 싫습니다."

"그래, 찾아보마."

환의 얼굴이 단박에 밝아졌다.

식사를 끝내고 별채를 나섰다. 고작 집 안을 돌아다니는 건데도 감시하는 눈초리가 한둘이 아니었다. 물론 안유군의 저택은 보통 집에 비해서는 꽤 넓었다. 남의 집을 이렇게 마구 돌아다녀도 되는 건가 싶었는데, 환은 전혀 거리낌이 없었다.

정원을 지나니 작은 공터가 있었다. 공터에서는 안유군이 수하의 무사와 검을 겨누고 있었다. 햇살이 칼날을 타고 살벌하게 번쩍였다. 날과 날이 우는 소리가 쨍쨍했다. 우리가 다가가자 안유군은 동작을 멈췄다.

"여기까지는 무슨 일이십니까, 형님?"

"갑갑해서 나왔지."

"준비하시려면 바쁘신 거 아닙니까?"

"준비야 뭐, 그쪽에서 알아서 하겠지. 후백까지 가는 데만도 몇 달인데, 가면서 해도 되고."

안유군은 걱정스러워 보이는데 환은 느긋했다. 곧이어 안유군의 시선이 환의 옆에 선 내게로 향했다. 그는 못 볼 것을 본 듯이 인상을 구겼다.

"야, 너 그냥 남복하고 다녀라. 여자애처럼 입으니 더 별로다."

이건 또 왜 아침 댓바람부터 시비인가.

"어제 우리 덜 싸웠나?"

내가 받아치기도 전에 환이 정색하고 물었다. 안유군이 농으로 틱틱댄 것이라면 이쪽은 진심이었다.

"아닙니다. 자중하겠습니다."

"그러게 왜 이상한 소리를 해? 우리 인화는 뭘 입어도 예쁘지."

"아, 그건 좀 아닌 거 같습니다……."

창피해서 목소리가 기어들어갔다. 저런 소리를 할 때 환은 대체 무슨 생각을 하는지 모르겠다. 아침에 먹은 게 체했나 걱정도 든다.

"머리칼은 또 왜 이렇게 잘랐어?"

안유군이 물었다. 환도 내게 그것은 묻지 않았는데 참 관심도 많다.

"오는 길에 뱃삯이 부족해서 팔았지요."

내 대답에 환은 마음 아픈 표정을 지었다. 정말 저런 눈빛을 보일까 봐 말하기 싫었는데.

"역시 이상합니까?"

고개를 돌려 환에게 물었다.

"아니, 더 예쁜데."

"음……."

아무래도 환의 예쁘다는 말은 남들과 쓰임이 다른 것 같다.

"한성 떠나시면서 심미안은 두고 가셨습니까?"

안유군이 눈살을 구겼다.

"아니, 거기서 찾았지. 너도 좀 다녀오는 게 어떠냐?"

"안 그래도 형님 때문에 가게 생겼습니다. 이제까진 형님과의 친분을 남들이 잘 몰랐으니 무사했지만, 앞으로 절 가만두겠습니까?"

안유군은 목소리를 확 죽였다. 저택 여기저기에 듣는 귀가 많았다.

"그게 싫으면 먼저 쳐야겠지."

"무슨 무서운 말씀을. 저는 나서는 성격이 아닙니다."

"네 업보라 여겨야지."

"업보요?"

"그래. 어제 인화를 넘겨서 넌 역모를 고발한 신하로 남고, 나는 빼돌리고, 이 애는 죽게 하고. 뭐 그런 계산 아니었나? 아무 죄도 없는 애를 희생시키려 했으니 그 대가를 받는다고 생각해."

환의 말에 안유군은 찔끔한 얼굴이었다. 하지만 이내 반색하고 고개를 저었다.

"설마요. 처음부터 이 모든 상황을 계산한 거였습니다."

"헛소리를. 어제는 내가 사신으로 가면 죽는다고 난리를 치더니."

안유군은 할 말이 없는지 괜히 들고 있던 검을 만지작거리더니 환에게 내밀었다.

"그럼 여유가 있으시면 오랜만에 상대해주시겠습니까? 이젠 제가 형님을 이길 것 같은데요."

"그건 다음 기회에 하고."

"저한테도 시간 좀 내주시지."

"바빠서."

환은 나를 끌고 몇 걸음 가더니 안유군을 돌아보았다.

"아, 그리고 안유군."

"예."

"당부할 게 있는데."

"말씀하십시오."

"앞으로 말 높여라."

환이 내 어깨를 톡톡 치며 말했다.

"예?"

"이런 것까지 내가 가르쳐야 될 나이는 아니잖니?"

안유군은 몹시 불만에 찬 얼굴로 고개를 끄덕였다.

"내가 없는 동안 네가 챙겨줘야지."

"예……."

"그렇다고 너무 관심 두지는 말고."

안유군은 뭐 어쩌라는 거냐는 눈빛이었다.

"아, 원래 저런 사람이 아니었는데."

뒤편에서 안유군이 불만에 찬 목소리로 쫑알거리는 것이 들려왔다.

시간은 아쉬운 만큼 빠르게 흘렀다. 내심 이대로 시간이 멈추었으면 했다.

혹 왕이 변덕을 부려 환을 보내지 않겠다고 한다면 얼마나 좋을까.

그런 부질없는 기대도 해보았다.

그러나 기적은 두 번 일어나지 않았고, 해는 내 바람과 달리 부지런히 뜨고 졌다.

밤이면 서로를 안다가 느지막하게나 잠이 들었다. 나는 벽에 기대어 앉은 그의 허벅지에 올라탔다. 나는 어릴 때부터 이리저리 굴러먹어서 팔다리에 얽힌 자국이 많은데 그의 몸에는 작은 흉터 하나 없었다. 마치 잘 빚어놓은 도자기 같았다. 빳빳이 선 그의 성기를 쓸어 올리니 그는 내 눈을 피하며 중얼거렸다.

"그거……."

"예? 그게 뭔데요?"

그는 차마 말로 부탁할 수 없었는지 내 아랫입술을 손끝으로 쓸었다.

"해줄래?"

"처음에는 싫다고 하시지 않았습니까?"

얼마든지 해줄 생각은 있었지만, 괜히 짓궂게 굴었다.

"좋아서……."

환이 작게 웅얼거렸다. 나는 몸을 숙여 그의 것을 물었다. 환의 입에서 나른한 숨이 흘러나왔다. 일부러 가장 예민한 부분 근처만 혀로 간질럽히니 곧 그가 아래 깔린 이불을 쥐어뜯었다. 그는 더 깊은 곳까지 들어오고 싶은지 허리를 들썩였다. 안타깝게도 입으로는 절반 정도 삼키는 게 최선이었다. 이 부족함 때문에 그가 더 어쩔 줄 모른다는 것도 알고 있었다.

나는 뿌리 쪽을 가볍게 쥐고 기둥 뒤를 혀로 누르며 핥아 올렸다. 그대로 천천히 고개를 움직이니 환의 입에서 신음이 터져 나왔다.

환이 아니었다면 남자가 이렇게 섬세하게 만들어진 동물이라는 것을 미처 몰랐을 것이다.

그는 더 못 참겠는지 나를 밀어뜨려 곧장 성기를 쑤셔 넣었다. 안을 꽉 메우는 느낌이 황홀했다. 그의 물건이 거칠게 안을 오갔다. 나는 환의 등을 안았다.

이렇게 그를 안을 시간도 얼마 남지 않다는 생각에 왈칵 서러워졌다. 그 역시 비슷한 생각을 하는 것 같다. 여느 때보다 그의 몸짓은 거세고 분별이 없었다. 그는 거의 발정기의 짐승처럼 나를 안았다. 몇 번이나 파정하고도 서로의 욕망은 가라앉을 줄을 몰랐다. 그가 물어뜯은 피부 여기저기가 빨갛게 부어오르고, 정도를 넘어선 쾌락 탓에 몸이 욱신거렸다.

폭력적인 정사 후 그는 따뜻하게 나를 안았다. 내가 부서지거나 흩어져버릴까 걱정하는 것처럼 조심스럽고 부드럽게.

이상하게도 그 포옹이 가장 아팠다.

아무래도 한성의 밤은 가시가 돋아 있나 보다. 이렇게 한밤 속을 그와 뒹굴면 온몸에 가시가 박힌 것처럼 아파온다. 밤의 어둠이 우리의 상처 속으로 스며든다. 깜깜한 어둠 속에서 나를 내려다보는 그의 슬픈 눈빛만이 달무리처럼 번져 있다.

아늑하지만 덧없고, 덧없지만 아름다운 밤이었다.

◑◑Є(

환은 사흘 뒤면 후백으로 떠날 출발하기 전날 환은 안유군의 저택을 나가자고 했다. 우선 내가 나가서 기다리고 있으면 그가 안유군의 도움을 받아 저택을 빠져나오겠다는 것이었다. 안유군은 정말 이 부탁을 들어주기 싫은지 오만상을 쓰면서 알겠다고 했다. 사흘 묵은 거름을 봐도 저것보다는 산뜻한 표정을 짓겠다 싶을 정도의 얼굴이었다.

아침에 일꾼이 새 옷을 갖다 주었다. 저번처럼 이곳 남종들이 입는 검은 옷이었다. 나도 왕이 지켜보는 대상 중 하나니 남장을 하고 눈을 속이는 것이 좋을 것이라는 게 안유군의 설명이었지만, 실상은 그냥 심술을 부리는 것 같았다. 일꾼들의 옷이라 해도 내가 가지고 있던 옷들보다 훨씬 좋은 옷이어서 별 불만은 없었다.

어쨌거나 대문을 빠져나올 때까지 나를 알아보고 경계하는 사람은 없었다. 심부름을 나가는 일꾼처럼 보인 모양이었다.

나는 환과 약속한 대로 안유군의 저택으로부터 조금 떨어진 곳에서 그를 기다렸다.

이렇게까지 해야 하나 싶었지만, 환은 꼭 나를 데리고 한성 구경을 시켜주고 싶다고 했다. 내일이면 떠나는 사람이라서 나도 더 반대하지 않았다.

조금 무료하다 싶을 때 저편에서 갓을 푹 눌러쓴 훤칠한 남자가 이쪽으로 걸어왔다. 똑바른 걸음걸이 때문에 그가 환이라는 사실을 눈치챘다. 진청색 도포자락이 바람결에 가볍게 나부꼈다. 가까이 와서 환은 살짝 웃으며 얼굴을 가리고 있던 갓을 들어보였다. 옷이 날개라는 말은 많이 들어보았지만 드디어 진정한 의미를 깨달았다. 하기야 내가 이제껏 본 환의 모습이라 해봤자, 유배지에서의 모습과 옥사에 갇힌 모습이 전부였다. 이런 인물을 썩히고 있었다니 좀 아깝다.

복장 말고도 무언가 분위기가 달라진 것 같아서 그의 얼굴을 유심히 보았다. 나는 곧 그가 말끔하게 수염을 깎아버렸다는 사실을 깨달았다.

"나리, 턱."

이것도 변장의 일종인가 싶어 그의 턱을 가리켰다.

"아, 이상하니?"

환은 어색한지 자신의 턱을 쓸었다.

"아뇨. 이상한 건 아닙니다."

"너랑 나가는데 나이 들어 보일까 봐."

환은 내 예상과 전혀 다른 소리를 했다. 전에도 그 또래들에 비하면 어려 보인다고 생각했지만, 확실히 지금은 안유군과도 그리 차이 나 보이지 않는다.

"어차피 사람은 다 나이가 드는 건데 별스러울 거 있습니까?"

"나한텐 중요한 일이란다."

전에는 나이 먹는 게 싫다고 부럼을 덜 깨질 않나, 환은 이상하게 이런 일을 신경 쓰는 것 같다.

"그렇다고 진짜 어려지는 것도 아닌데요."

"너 참 잔인한 말을 아무렇지도 않게 하는구나."

우리는 저택들 사이를 나란히 걸었다. 우선은 시전으로 가볼 생각이었다.

환과 이렇게 백주대로를 같이 걸어본 것은 처음이었다. 그가 한성으로 압송될 때 막무가내로 옆을 따랐던 적은 있었지만.

"왜?"

그가 내 시선을 느꼈는지 물었다.

"이렇게 걷고 있으니 나리께서 한성으로 압송될 때가 생각납니다."

"아, 그랬지. 그때 그 일로 마을에서 별일은 없었니? 널 이상하게 본다거나."

말이 나오기 무섭게 환의 걱정이 시작됐다.

"글쎄요. 전 며칠 후에 섬을 떠나버려서 잘 모르겠습니다."

"네가 다시 거기 돌아가도 괜찮을지 모르겠구나."

"뭐, 소문이야 좀 흉흉하겠지만 까짓거 모른 척 해야지요. 그나저나 전 섬으로 돌아가야 하는 겁니까?"

"아니, 네가 한성에 더 머물고 싶으면 머물러도 된다. 그런데 안유군의 입지가 이전과 달리 불안해졌으니 널 맡겨도 될지 걱정스럽구나."

"참, 나리도 절 너무 어린애 취급하십니다. 굳이 절 어디 맡겨두실 필요 있습니까? 전 혼자서 한성도 왔는데요. 어딘들 혼자서 못 지내겠습니까?"

내 말에 환은 입꼬리를 빙긋이 올렸다.

"인화야, 그런 의미가 아니다."

"그럼요?"

"네가 혼자서도 잘 해내는 건 사실이다만, 사람이 홀로 세상을 살아가는 건 한계가 있어. 앞으로는 좋은 사람들에게 많은 도움을 받았으면 좋겠구나. 너도 그 사람들을 돕고."

"그게 안유군 나리입니까?"

"안유군도 그중 하나가 될 수 있겠지. 좀 자유분방하게 자라서 버릇없는 아이다만 심성은 우리 형제 중에 제일 착한 편이고."

"그게 제일 착한 겁니까? 대체 나머지는……. 아니, 그럼 나리는요?"

"나? 내가 제일 나쁘지."

"음, 별로 믿음이 안 가는 이야기입니다. 나리만큼 좋은 분이 없는데요."

"너한테만."

말은 저렇게 해도 나는 환이 나쁜 사람이 아니라는 것을 안다. 어쩌면 누군가에게는 나쁜 사람이었겠지만, 적어도 이제는 아니다.

바람이 불어와 잔가지에 떨고 있던 낙엽을 떨어트렸다.

야트막한 담장 사이, 그곳에 우리가 함께 거닐 자리가 있었다. 세상이 우리에게 이런 자리를 내어줬다는 것이 너무 신기해서, 또 감사해서, 지금만큼은 무엇도 원망하고 싶지 않았다. 어쩌면 환만 있다면 나는 내내 이런 마음으로 살아갈 수 있을 거라 생각했다.

거리를 지나다니는 사람들이 하나둘 늘어간다 싶더니, 곧 북적이는 시전이 펼쳐졌다.

"한성은 늘 장시가 열려 있습니까?"

"그럼. 나라에서 관리하는 곳도 여럿이다."

환은 나라에서 소금 같은 것을 직접 판매한다는 설명을 해주었다. 나는 그의 말을 한마디도 놓치지 않으려고 열심히 들었다.

지금 우리는 아마 어느 양반집 자제가 몸종을 데리고 나온 모양새로 보일 것이다. 짧은 머리칼 때문인지 사람들이 나를 흘깃거리며 지나갔다.

시전에는 신기한 것들이 많았다. 대국에서 수입해왔다는 비단을 상인들이 늘어놓고 팔고 있었다. 생전 본 적도 없던 빛깔이었다. 정신을 놓고 구경하고 있는데 환이 갑자기 나를 확 끌어당겼다. 내 등 뒤로 말이 뛰어갔다.

"아가, 조심해야지."

그가 나를 놓아주며 말했다. 잠깐 스친 체온이 못내 아쉬웠다. 내일이면 한동안 이 온기도 느낄 수 없는 것이다.

괜히 슬퍼질 것 같아 억지로 더 환하게 웃었다. 환의 앞에서 눈물을 보이고 싶지는 않았다.

"사람이 너무 많습니다."

"늘 이렇지."

"한성 사람들은 무슨 정신으로 삽니까?"

내 말이 뭐가 웃긴지 환은 소리 죽여 웃었다.

우리는 시전을 따라 쭉 걸었다. 그는 종종 물건이나 가게에 대해 이야기해주기도 하고, 내게 무언가 사줄까 물어보기도 했다. 딱히 필요한 물건은 없어서 거절했다. 그러다 의금부 근처까지 도착하자 우리는 누가 먼저 말하기도 전에 서둘러 발걸음을 돌렸다.

점심을 먹으러 들어간 주막은 한산했다. 주모는 요즘 장사가 안 된다며 손님들을 붙잡고 한탄을 하고 있었다. 식사를 주문하고 주변을 둘러보았다.

"이런 데 와보신 적 있으십니까?"

"아니. 처음 와보지."

그때 한 무리의 여자들이 군졸들에게 잡혀 끌려가는 모습이 보였다. 지난 번 본 행렬과 비슷했다.

공녀들이었다.

그 모습을 한참 보고 있는데 환의 한숨소리가 들렸다. 그 역시 그 여자들을 응시하고 있었다.

"벌써 세 차례나 보냈다는데."

그가 혼잣말처럼 말했다.

"여자들을 잡아가서 뭣합니까?"

"노비로라도 부리겠지. 일단 끌려가면 사람다운 대접을 받기는 힘들 테고."

"여기서는 양민 아닙니까?"

"그렇지."

그는 여자들의 행렬이 저만치 인파에 묻힐 때까지 눈을 떼지 못했다.

"집으로 돌아오게 해줘야지."

"그럴 수 있습니까?"

"그래. 너무 늦었지만, 이제라도 돌아오게 해줘야지."

거기까지 말하고 그는 좀 복잡한 표정으로 내게 시선을 던졌다.

"이번에 가서 일이 잘 되면 모두 돌아오게 할 수 있을 게다."

지금처럼 환이 대단해 보인 적이 없었다. 솔직히 말하자면 어느 순간부터인가 줄곧 한량처럼 생각해왔다.

"그랬으면 좋겠습니다."

"정말 그렇게 생각하니?"

이상한 물음이었다. 그렇게 묻는 환의 눈동자는 좀 서글퍼 보였다.

"예. 한데 왜 그런 걸 물으십니까?"

"일이 잘 풀리면 여자들은 모두 돌아올 수 있겠지. 하지만……."

환은 다음 말을 한참 망설였다.

"협상이 잘 되면 난 살아 돌아올 수 없을 거다."

환의 말이 잘 이해가지 않아 눈만 깜빡였다. 환은 눈을 내리깔왔다.

"협상이 잘 풀릴수록 난 죽을 가능성이 높단다. 물론 일이 잘 안 풀려도 문제지. 다른 사신들처럼 후백의 왕이 날 죽일 수도 있으니까."

"친분이 있다 하시지 않았습니까?"

국문장에서 그가 했던 말을 기억해냈다.

"아, 즉위를 하기 전에 국경 시찰을 나갔을 때, 그자도 태자 신분으로 시찰을 왔을 때라 우연히 만났다. 지금 생각하면 우연은 아니었던 거 같고, 그 뒤로도 쭉 교류한 사이라 서로 잘 알지."

"친구 같은 겁니까?"

"친구? 친구라고 하긴 좀 힘들지."

친구여도 배신을 하는 세상이다. 그런 답을 듣고 나자 갑자기 걱정이 몰려왔다.

"아, 일반적 의미의 친우라고 하기는 힘들다는 거지. 서로 입지가 있으니까. 그래도 그자라면 나를 막무가내로 죽이지는 않아."

환이 얼른 말을 보탰다.

"그쪽이 원하는 게 뭔지 잘 아니까 협상도 해볼 만할 것 같고. 오히려 너무 잘 풀리면 문제야."

"왜요?"

"일이 잘 풀리면 날 죽일 테니까."

"그런 게 어디 있습니까?"

나도 모르게 울컥해서 큰 소리를 내버렸다.

"사냥개는 사냥을 잘 하면 오래 살려두지만……. 그 개가 제 목을 물어뜯을까 두려워하는 주인은, 개의 이빨을 확인하면 즉시 도살하려 할 거다."

"하지만 그, 왕은 나리를 죽일 수 없다고……."

"지금 이 나라의 주인은 좌상이지."

환이 다분히 냉소적으로 대꾸했다.

"국경 밖에서 그자가 날 죽이려면 무언들 못하겠니?"

그런 것은 싫었다. 환이 죽는다면 해가 떠도 깜깜하고, 꽃이 피어도 향기롭지 않을 테다.

"그럼 결과가 나빴으면 좋겠습니다."

"그럼 그 여자들은 집으로 돌아올 수 없겠지."

그것도 싫었다. 잡혀가던 여자들의 뒷모습이 어른거렸다. 그 사람들의 앞날이 녹록한 것이었다면, 공녀로 나를 보내겠다 했을 때 환이 그토록 빌었을 리 없었다. 남들은 어찌 되도 좋으니 환만 돌아오면 된다고, 그런 말은 차마 할 수 없었다.

그때 주모가 국밥 두 그릇을 갖다 주며 내 얼굴을 흘깃 보았다.

"왜 이렇게 울상이야? 표정 풀고 많이 먹어. 많이 먹어야 잘 크지. 사내애는 키가 좀 더 커야 멋있지."

그녀는 장난스럽게 내 머리를 쓰다듬어주고 갔다. 기분이 굉장히 이상했다. 맞은편을 보니 환은 소리 죽여 웃느라 수저를 들

생각도 못하고 있었다.

"왜 웃으십니까?"

"아니, 귀여워서."

"그런 게 아닌 것 같은데요."

나는 방금 주모가 쓰다듬고 간 머리칼을 꾹꾹 눌렀다. 그래도
이제 목덜미는 완전히 덮을 정도였다.

"그렇게 남자애처럼 보입니까?"

"옷차림 때문에 헷갈리겠지."

"키도 그렇게 작습니까?"

"그렇지는 않은데."

"아까부터 왜 그렇게 웃으시는 겁니까? 기분 나쁘게."

"귀여워서 그러지."

나는 숟갈을 들고 국밥을 저었다. 사람이 없기에 요리가 별로
일까 했는데 맛은 괜찮았다.

"그러면 나리, 사람들도 무사히 돌아오고 나리도 살아 오시는
길은 없는 겁니까?"

"둘 중 하나도 어려운 일이다."

"그래도 나리께선 하실 수 있지요?"

내가 거듭 묻자 환은 말없이 나와 눈을 맞췄다.

"인화야."

"예."

"나도 살고 싶어."

나는 환의 입에서 살고 싶다는 말을 처음 들었다. 언제든 자신은 죽어도 상관없다는 말을 달고 살던 사람이었다. 때로는 스스로를 귀신처럼 여기는 듯도 했다. 국문 전날 죽음을 앞두고도 그는 살고 싶단 소리를 하지 않았다.

처음 그의 음성으로 들은 살고 싶다는 말은 너무도 체념 같아서, 나는 차라리 그 말을 외면하고 싶어졌다. 한참 뒤 나는 간신히 미소를 보일 수 있었다.

"역시 둘 다 싫습니다. 나리도 그 사람들도 무사히 돌아왔으면 좋겠습니다. 기다리는 것 외에 제가 할 수 있는 게 있다면 뭐든 할 테니, 무사히 오셨으면 좋겠습니다."

"그래, 노력해보마."

환이 기다렸다는 듯 대답했다. 어쩌면 환이라면 정말 할 수 있을지도 모른다는 미약한 희망이 꿋꿋하게 고개를 들었다. 돌풍이 불어도 쉽사리 뽑혀나가지 않는 뿌리 깊은 잡초처럼.

식사를 마친 후에는 시장 끝 편의 큰 서적상에 들렀다.

"아, 나리. 저 이제 꽤 잘 읽습니다."

자랑하고 보니 번데기 앞에서 주름을 잡은 것 같아 창피했다.

"그래? 한번 읽어보련?"

환은 웃는 눈으로 이야기책 하나를 집어서 건넸다. 나는 첫 장을 펴서 읽어 내려갔다. 다행히 어려운 글자가 없는 이야기책이라 막힘없이 읽을 수 있었다. 두 장쯤 읽고 고개를 드니 환이 감탄한 눈빛으로 나를 내려다보고 있었다. 눈빛만 보면 무슨 대단한 책이라도 읽은 줄 알겠다.

"아가, 너 정말 똑똑하구나. 언제 이렇게 늘었니?"

"여행길에 읽을 일이 많다 보니 저절로 익힌 것들이 많습니다."

"너처럼 똑똑한 아이는 처음 보는구나."

"그건 아니겠지요. 조정에는 날고 기는 똑똑한 분들만 모였을 텐데."

"아냐. 거기서도 너만큼 똑똑한 사람은 못 봤다."

환이 너무 진지하게 말해서 헛웃음이 났다.

"하기야 똑똑한 사람들이었으면 나리를 내쫓았겠습니까?"

"그건 아닌 거 같고."

환은 피식 웃었다. 그는 서책들을 뒤적이며 재밌었던 책들을 추천해주었다. 환이 돌아올 날까지 모조리 읽어두기로 했다.

"이걸 다 읽을 때쯤이면 나리께서 오시겠지요?"

"아마 그렇겠지."

"지루하지 않아 잘 됐습니다."

나는 그가 권해준 책들 제목을 외우려고 입안으로 제목들을 읊었다. 이왕이면 이 책들을 절반도 읽기 전에 환이 왔으면 좋겠다.

"빨리 읽으면 빨리 오실까요?"

내 물음에 그는 귓속말을 하려는 듯 입 주변을 손으로 가리고 얼굴을 가까이 댔다. 무슨 말을 하려나 싶어 귀를 기울이는데 뺨에 입술이 살짝 닿았다 떨어졌다. 내가 당황해서 그를 쳐다보자 그는 장난스러운 미소를 지었다.

서적상을 지나 길을 하염없이 걷다 보니 왕궁이 보이는 곳까지 왔다. 인적이 드문 골목이었다. 환은 발걸음을 멈추고 먼 왕궁을 응시했다.

"가보니 어땠니? 저곳."

환이 물었다.

"말도 마십시오. 다시 쳐다보기도 싫습니다."

환과 내가 죽을 뻔한 장소였다. 그날 용포 자락에 떨어지던 환의 눈물이 아직도 생생했다. 달려가 일으켜주고 싶었다. 나 때문에 이렇게 비참해지지 말라 말하고 싶었다.

검푸른 기왓장을 보는 것만으로도 그때가 떠올라 숨이 턱 막혔다.

"잘됐구나. 나도 그런데."

"그래도 크기는 엄청 크던데요. 위세도 대단하고. 나리께서는 줄곧 저기서 사셨겠지요?"

"뭐, 그랬지."

"그런 생각을 하면 나리가 정말 멀게 느껴집니다."

환은 탐탁지 않은 얼굴로 나를 내려다보았다. 느낀 대로 솔직히 말한 것뿐인데 그의 마음에는 들지 않았나 보다. 그런 생각을 하는데 환이 갑자기 나를 확 당겨 품에 안았다.

아무리 인적 없는 곳이라지만 길거리였다. 화들짝 놀라 밀어내려 했더니 그는 팔에 더 힘을 주었다.

"이러면 좀 가깝게 느껴지니?"

"가, 가깝게 느낄 테니까 풀어주세요, 나리."

"서운한 소리를 하니 그러지."

"그래도 이런 곳에서……. 아까 서적상에서도 그러시질 않나, 정말……."

내가 볼멘소리를 내자 그는 그제야 나를 놓아주었다.

"나리가 싫다는 게 아니라……. 그냥 저보다 한참 대단한 분 같아서 그럽니다. 후백으로 가셔서 하실 일도 저 같은 상민들은 알지도 못할 일이고, 또……."

"인화야. 네가 훨씬 대단해."

환이 너무 진지한 눈빛으로 말해서 당황스러웠다.

"그럴 리가 있습니까?"

"넌 잘 모르는구나."

그가 슬쩍 웃음을 흘렸다. 우리는 궐을 등지고 다시 시장 쪽으로 빠져나왔다. 마침 궁금했던 것이 생각나서 환에게 물어보았다.

"그런데 궐 앞에 고양이는 왜 세워둔 겁니까?"

"고양이? 무슨 고양이?"

"돌로 만든 살찐 고양이 두 마리가 있던데요."

아, 하고 환이 알아챈 티를 내더니 갑자기 큰 소리로 웃었다.

"살찐 고양이가 아니라 해태란다."

처음 듣는 동물이었다.

"귀엽게 생겼습니다."

"귀엽다고? 아주 무서운 동물인데. 선악을 구분하고 악인을 잡아먹는 동물이지."

귀여운데 영특하기까지 한가 보다.

"그럼 저도 한 마리 키우고 싶습니다."

"그래. 후백에 가서 발견하면 한 마리 데려오마."

환은 흔쾌히 약조하고 내 머리를 쓰다듬었다.

밤이 되자 천변에 반딧불이 날았다. 천변 근처의 가게들에서 흘러나온 불빛이 길을 어슴푸레하게 비추었다. 어둠이 드리운 푸른 도포 자락 근처에 반딧불이가 나는 모습이 꼭 밤하늘 같았다. 인적 드문 곳에서 우리는 손을 잡고 걸었다.

살면서 이렇게 행복해본 날은 처음이었다. 우리는 실컷 군것질을 하고 시전 구석에서 열린 놀이판에 끼어들기도 했다. 환이 돈을 잔뜩 잃기에 하는 수 없이 내가 다시 따주었다. 이렇게 무능한데 후백에 보내도 되는 것인지 심히 걱정이 되었다. 해질 무렵 그는 장신구를 파는 가게 앞에서 한참 반지들을 바라보다 고개를 돌렸다. 내가 사고 싶으면 사시라 권했더니, 그는 그런 것들은 무사히 돌아오면 하자고 했다.

언제까지나 이런 날들이 계속 되었으면 좋겠다. 아니, 딱 하루만이라도 또 이렇게 그와 걸어보고 싶다.

사실은 환을 보내고 싶지 않다.

무심결 올라오는 내 욕심에 화들짝 놀라 얼른 떼쓰는 마음을 억눌렀다.

"그거 아직 하고 계십니까?"

나는 소매 밑에 얼핏 드러난 실 팔찌를 보았다. 그가 섬을 떠나던 날 엮어주었던 것이었다. 한성까지 오는 길에 조금 해져버렸지만 용케도 안 끊어졌구나 싶었다.

"그런 걸 좋아하시면 새로 만들어드릴 걸 그랬습니다."

"아니, 이게 좋아."

환의 취향은 알다가도 모르겠다.

"아가."

"예."

"못 돌아올 수도 있다. 알지?"

마음이 미어지는 것 같았지만 더는 외면할 수 없는 현실이었다.

"만약 내가 불귀의 객이 된다면, 네가 가고 싶은 곳으로 가서……."

그는 느릿느릿 말을 이었다.

"새로운 사람들을 만나고 나를 되도록 빨리 잊고 살았으면 좋겠구나."

대답하고 싶지 않았다.

"그땐 그냥 내가 최선을 다했다는 사실만 알아주렴."

알겠다는 쉬운 말도 목구멍에 걸려 나오지 않았다.

"하지만 인화야, 혹 내가 돌아온다면 말이다……."

그는 나와 마주 섰다. 늘 그의 눈동자에 감돌던 빛이 유독 선명했다.

"그때는 나와 같이 살래?"

내가 싫다 할 리 없는데도 그는 떨었다. 그 떨림이 못내 사랑스러워서 눈물이 날 것 같았다.

"나리께서 그때도 그런 마음이 드시면 그러지요."

나는 괜히 퉁명스럽게 대답했다.

"좋다. 그럼 네가 어디 있든 찾아가마. 그때까지 건강하고……."

그는 흘러내린 내 옆머리를 귀 뒤로 넘겼다.

"예. 나리께서도 무사히 다녀오십시오."

그것이 내가 생각하는 최선의 말이었다.

어차피 가야 하는 사람이면 서글프게 보내지 말자. 괜한 투정

부리지 말자.

그런데 환은 내 눈을 물끄러미 내려다보더니 쓴웃음을 지었다.

"인화야."

"예."

"가지 않았으면 좋겠다고 생각하면, 그렇게 말해도 된다."

환에게 내 속내를 들킨 것만 같았다. 나는 얼른 고개를 저었다.

"아닙니다, 나리. 가셔야 하는 걸 아는데요. 나리 마음을 불편하게 만들기도 싫고요. 그런 과한 바람은……."

"인화야. 네게 과한 바람 같은 건 없어."

환이 내 가슴 위쪽을 짚었다. 따뜻한 온기가 번져왔다.

"여기에 쌓아두지 말고 뭐든지 이야기해."

그의 손이 너무 따뜻해서, 목소리가 너무 다정해서, 나는 그만 주저앉아 울고 싶어졌다.

바라서는 안 된다. 바라서는 안 된다는 걸 알면서도.

"……나리, 사실은 가지 않으셨으면 좋겠습니다."

"인화야."

"……가지 않으셨으면 좋겠어요. 가지 말고……."

기어코 울어버렸다.

"그래, 잘 얘기했다. 앞으로는 무엇이든 마음껏 바라렴."

환은 검지로 내 눈가를 닦았다.

"너무 많이 바라면 재앙이 든다고 합니다."

욕심을 내면 하늘이 벌을 주고 행복해하면 귀신이 시샘을 한다고 마을 어른들은 늘 겁을 줬다. 그러니 좋은 일이 생겨도 언제나 다음 슬픔을 대비하고, 분수에 넘치는 것은 꿈조차 꾸지 말라 했다.

삶이란 것은 원래 그렇게 참고 견디는 것이라고.

"앞으로는 다를 거다. 내가 돌아오면 네 모든 바람은 내가 다 이뤄줄 테니. 그러니 이젠 이전처럼 겁낼 필요도, 지레 포기할 필요도 없어."

환의 말이 먹먹한 밤공기를 울렸다. 오래된 경고를 깨뜨리고, 세상이 쳐둔 금줄을 넘어, 그의 말이 내 가슴을 물들였다.

"가지 않으셨으면 좋겠습니다."

"그래. 나도 그랬으면 좋겠다."

"계속 함께 있었으면 좋겠습니다."

불가능한 기도를 하는데도 비참하지 않았다. 당장 이루어질 수 없다 해서 그것이 모두 허망한 소망은 아니라는 것을 처음 깨달았다.

우리가 줄곧 같은 꿈을 꾼다면, 그것만으로도 이미 마음은 하나인 거니까.

이 마음만 간직한다면, 언젠가 조금 늦더라도 내 바람이 꼭 이루어질 것 같았다. 그런 확신이 들었다.

그런 내 확신을 확인이라도 시켜주듯, 환이 미소를 띠고 말했다.

"그렇게 될 거야."

간신히 말라가던 눈물이 왈칵 올라왔다. 환은 내 눈물을 나무라지 않았다.

"나리. 영영 헤어지는 게 아니면 이별이라 부르지 않았으면 좋겠습니다."

"그래, 그러자."

그는 대답과 동시에 나를 으스러트릴 듯 강하게 안았다.

그의 입술이 내 입술 위에 사뿐히 내려앉았다. 작은 다리 아래, 불빛 하나 들지 않는 곳이었다. 반딧불만이 우리 주위를 어지럽게 돌았다. 하늘의 별보다 이렇게 가까이 나는 빛이 훨씬 아름답다 생각했다.

울고 싶지 않다.

울고 싶지 않다.

이 서러운 기분을 잊기 위해 그의 입술에 더 간절히 매달렸다.

환은 돌아올 것이다.

영영 헤어지는 것이 아니면 이별이라 부르지 말자고 그와 약속했다.

그러니 이것은 이별이 아니다.

우리의 헤어짐은 훨씬 훗날일 것이다.

『절벽에 뜬 달 下』에서 계속

절벽에 뜬 달 上

초판 1쇄 발행 2021년 2월 18일
지은이 현민예

펴낸이 민혜영
펴낸곳 (주)카시오페아 출판사
주소 서울시 마포구 월드컵로14길 56, 2층
전화 02-303-5580 | **팩스** 02-2179-8768
블로그 blog.naver.com/cassiopeia_romance
이메일 romance@cassiopeiabook.com | **공식 트위터** twitter.com/Rmoon_book
출판등록 2012년 12월 27일 제2014-000277호
책임편집 위유나
편집 위유나, 최유진, 진다영 | **디자인** 고광표, 최예슬 | **마케팅** 허경아, 김철, 홍수연

ⓒ현민예, 2021

ISBN 979-11-90776-43-1
　　　979-11-90776-42-4 (세트)

R&moon은 (주)카시오페아 출판사의 로맨스·로맨스판타지 레이블입니다.